그때의 내가
그때의 너를

사랑했다

그때의 내가 그때의 너를 사랑했다

2021년 6월 27일 초판 1쇄 발행
2021년 6월 27일 초판 1쇄 인쇄

지은이 | 박견우

인쇄 | 아레스트
표지 | theambitious factory

펴낸이 | 이장우
펴낸곳 | 꿈공장 플러스
출판등록 | 제 406-2017-000160호
주소 | 서울시 성북구 보국문로 16가길 43-20 꿈공장1층
전화 | 010-4679-2734
팩스 | 031-624-4527
이메일 | ceo@dreambooks.kr
홈페이지 | www.dreambooks.kr
인스타그램 | @dreambooks.ceo

꿈공장+ 출판사는 모든 작가님들의 꿈을 응원합니다.
꿈공장+ 출판사는 꿈을 포기하지 않는 당신 곁에 늘 함께하겠습니다.

ISBN | 979-11-89129-91-0

정 가 | 13,000원

그때의 내가
그때의 너를

사랑했다

그때는 그대를 정말 좋아했노라
비록 짧은 만남일지라도

특별동반우대권

3월 13까지

이승철의

달은… 해가꾸는꿈

한국영화를 사랑하는 여러분을 모십니다.

슬픈듯이 조금빠르게 시작된 우리사랑은
아픔의 자욱만 남긴채…
톱가수「이승철」과 신인여우「나현희」가 꾸미는 순수하고 아름다운 사랑의 이야기로
여러분을 만나고자 합니다.
팬사인회 평일, 토3-4회, 일요일 1,2회

貴下의 한국영화에 대한 애정을 위해 본티켓 1매를 지참하시면
2인에 한해 입장요금을 9,000원을 5,000원에 모십니다.
(단 1인은 4,500원→2,500원)

극단아벨 아홉번째공연

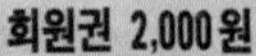

마당가족초청권

₩4000

초청 지정일시

9월1일~30일

본 초청권과 함께 1,500원을 매표구에 주시면 입장권과 교환하여 드리며, 프로그램은 무료로 증정합니다. 단, 토·일·공휴일 입장시는 2,000원입니다.

마당세실극장 제96회 가을맞이 콘서트

난바람 넌눈물, 보고픈 그대얼굴……

출연/신현대 반주/김목경, 박선만

우정/김광석, 백미현, 신성철, 양하영, 이윤수, 이자은, 임지훈, 장철웅

'90.9.1~9.30

마당세실극장

평일 5:00/7:30 토·일·공휴일 4:00/6:30

덕수궁옆 영국대사관 입구 공연문의 737-5773

1992년 프로야구 입장권
서울 OB 베어스
일반석
월 일
₩4,000
(체육 진흥기금 포함)
서울 종합운동장 야구장
NO.:
김형석
OB수퍼드라이

팔등신 美女를 걸고,
지금 카드를 돌렸다.!!
앵콜!!
사랑을 위한 도박!
허황된 승부욕의 男子+사랑에 눈먼 젊은이+女子하나=절묘한 코메디.!!
3.15 ⇨ 4.10
(단, 매주 화요일은 공연없음)
대학로극장
743-8741
동반우대권
1人입장시 3,000원을 2,000원에
2人입장시 6,000원을 4,000원에

Special Ticket
특별감상권
4,500원을 2,500원에
●이 티켓을 가져오시면 2,500원에 映畵를 관람하실 수 있습니다. ●1월 18일부터 사용할 수 있습니다. ●고교생도 사용할 수 있습니다. ●이 티켓은 사거나 팔 수 없습니다
명보극장
네멋대로 해라

장폴 벨몽도,
제임스 딘,
리차드 기어…
오늘 새롭게 느낀다.

서울 가 0483109 가
입장권
제명 첫사랑
요금 5,000
(부가세 및 기금포함)
극장명 명보극장
등록번호 203-85-00566
일
회
층
열
번

back to the...

프롤로그

이 글의 모든 시작은 한 소녀에게서 비롯됩니다. 바로 초등학교 5학년 때 제 짝꿍입니다. 눈부시게 푸르던 어느 날 그녀와 갑작스러운 이별을 하며 난생처음 느꼈던 그 미묘하고 애절한 느낌을 표현할 길이 없어 사춘기 시절부터 걸음마를 배우듯 어설픈 습작이 시작되었습니다.

고고 시절의 어느 저녁 무렵 독서실에 찾아든 도둑이 저의 첫 번째 독자였습니다. 다른 모든 학생의 참고서가 하나씩 사라졌으나, 저의 책들만은 온전했습니다. 대신 쓰다만 시들이 널브러진 저의 연습장에는 메모가 하나 남겨져 있었습니다. "차마 네 놈 것은 못 가져가겠다! 너는 지구상 마지막 로맨티스트니까..." 치열한 입시 준비 속에 한동안 시를 잊게 되었고, 대학 입학 이후에야 비로소 이 시집에 담긴 첫 작품이 나오게 되었습니다, 그리고 수십 년이 흘러 지금에 이르게 되었습니다.

이 시집에는 소녀에 대한 고해성사를 시작으로 학창 시절 사랑과 이별, 그리고 직장 생활의 애환과 삶의 단상이 두루 담겨 있습니다. 비록 한 명이 쓴 것이나, 수줍은 20대 청년과 이후 세대별로 각기 다른 제가 함께 만든 4인 공저시집이라 할 수 있습니다. 또한, 글의 처음부터 마지막까지 대학 시절 주고받았던 학보와 편지들을 시와 함께 수록하였습니다. 제 사적인 사연을 담고 있어 용기가 필요했지만, 8090 세대의 학보 보내기 낭만을 느껴볼 수 있도록 다양한 내용의 서한을 담으려 노력했습니다.

이 시집을 통해 작고 소박한 꿈을 꾸어 봅니다. 벚꽃 휘날리는 봄이 오면 커피 한잔을 든 여대생의 숄더백에 예쁜 시집이 하나쯤 꽂혀 있고, 학보가 나오는 날이면 계절의 변화를 알리는 시 한 편을 손글씨로 담아 보내는 캠퍼스의 풍경을 그려봅니다.

시와 낭만이 점차 잊혀져 가는 이 시대에 사랑하는 연인들은 물론 아빠와 딸이 서로에게 선물할 수 있는, 모두가 함께 느끼고 추억하며 공감할 수 있는 사랑방 같은 시집을 만들고 싶었습니다. 이 보잘것없는 작은 시집이 그 시작이 되었으면 하는 바람입니다.

1부

사랑이 그리워 그대라고 부릅니다
그대가 그리워 추억이라 부릅니다

짝꿍에게

네가 전학가던 날
넌 너무나 환하게 웃고 있었어
내 마음은 타들어 가는데
애타게 바라보는 나에게
눈길 한번 주지 않은 채
너는 떠나가 버렸어

너를 지우기 위해 무던히 애쓰던 밤
텅 빈 산 위에 올랐어
저 멀리 너의 모습이 보였어
나는 온 힘을 다해 뛰었어
어둠이 너를 숨길까 봐
길모퉁이로 네가 사라질까 봐

문방구 안으로 들어가는 너를
눈앞에 두고 난 잡지 못했어
손을 뻗어 보았지만 멈출 수 없었어
네 이름을 부를 수 없었어

말문이 막혀서
가슴이 뛰어서
내 모습이 초라해 보여서

그 소년이 어른이 되어서야
비로소 너를 잡아 본다
추억속에 너를 가두고
밤새 못다 한 이야기를 나눈다

오늘 밤 내게 와줘서
정말 고마워
사랑해 ....

너란 아이

넌 누굴까
난 네가 참 궁금해

모두 내가 아는 말들
순서만 바꿨을 뿐인데
너의 말은
시가 되고 노래가 되어
내 심장을 깨운다

무엇이 널 울렸을까
누가 그토록 설레게 했을까
왜 너의 이별은
이토록 아름다울까

어젯밤 너의 하늘 아랜
무슨 일들이 있었던 거니?

아씨에게

오빠, 오빠보다는 아찌가 더 잘 어울리는 것 같아요.

지금 시간은 기쁜 시간이라고 할 수 있어요.

창문 밖으로 그러니까, 하나, 둘, 셋 . . . . .

지그만치 응… 12개의 별이 반짝 반짝 아주 유난히도 반짝이고 있어요.

언제부턴가 별을 세어보는 버릇이 생겼어요.

어린시절 순수하기만 하던 옛 친구들의 얼굴이 생각이 나곤 하죠.

그 시절엔 칠흙과 같이 캄캄한 밤에 오직 별만이 그 하늘을 메꾸고 있었죠.

이런 얘기를 하는 제 자신이 마치 세상을 다 산 이같이 말하는 것 같아

약간은 우수워요.

제가 이제까지 세상을 살아오면서 무언가 느낀게 있다면

그것은 바로 제 자신의 마음가짐이 라고 말하고 싶어요.

전 항상 무언가 새로운 것을 시작할 때 항상 쉽게게

뒤진다는 그런 생각을 많이 했어요.

막상 그것을 시작하려하면 두려움이 먼저 제 마음을

모두 지배해 버려요.

그렇기에 전 제 자신이 미운거예요.

제 자신을 사랑하지 않기에 다른 모든 이들을

사랑하지 않는 걸지도 몰라요.

정말 오빠, 전요.

슬퍼요. 이런 힘없는 말만 늘어 놓아야 한다는 제 나약함.

정말 강해지고 싶어요.

멀리계곡에서 본 그 무수한 바윗덩어리 처럼 단단해 지고 싶어요.

F.M 라디오에서 절 또 슬프게 했어요.

「쇼팽의 야상곡」을 들어 주는 거예요.

전 아무 생각도 할 수 없었어요.

그저 흘러내리는 눈물 만큼은 억제

할수가 없었어요.

그냥 슬펐었다고는 말할수 있어요.

누가 절 보면 바보라고

말할거예요.

전 그 음악을 듣고 울지

않은 적이 없었거든요.

난 정말 바보가 봐요. 자기 마음도 자기가 파악하지 못한다니
이런 제가 어떻게 남의 마음을 이해해 주겠어요.
오빠도 느꼈죠!
제가 너무도 부정적인 아이라는걸.
이것이 저의 모든 것일지도 모르겠어요.
저는 세상을 살아오면서 인간이 살아가는 어떤 것을 하나, 둘씩 배워나갈때 두려움이
생기곤 한답니다. 인간의 어떠한 허물을 보았을 때.
언제부터 지숙이의 마음 속에 「부정」이란 것이 침입했을 까요?
전 자신감을 사랑하고 싶어요. 전 나약함은 미워할 거예요.
오빠도 그랬잖아요. 자신감을 결코 잃어선 아니 된다고.....
전 다만 오빠가 고마웠을 뿐이에요.
대학교 캠퍼스를 하나. 하나 설명해 주었을 때.
그때 전 새로운 걸 느꼈어요.
대학교에 가고 싶다는 그런 충동감이 생겼어요.

전 음악에 대해선 그럴더할 지식없으나 사랑해요.
그 무엇하고 바꿀수 없을 만큼요.
난 순수함을 믿음으로 생각하고 싶어
어떤 시절 전 꿈이 있었어요.
성악가의 꿈이.
현실은 암담해요. 하지만 저는요 제가 좋아하
지라면 아무 때나 어느 곳에 있든지 할수 있다고 생각해요.
오빠, 전 조금이나마 오빠의 마음을 이해할 수 있을 것 같아요.
전 더 이상 물러서지 않을 거예요. 이젠 더 이상 물러설 곳도 없어요.
오직 앞으로 행진 하는 수 밖에는.
10?번을 타고 사라지는 오빠의 뒷 모습을 보고 집에 가벼운 마음으로 올수 있었어요.
오빠가 조금이나마 저에게 위안을 해 주셨으면 좋겠어요.
테잎을 들으며 저도 모르게 소리내어 울었어요.
전 고작 바보에 지나지 않았다는 생각이 들었어요.
누군가가 저에게 조금이나마 채찍질이 될 만한 이야기를 해 주었으면 좋겠어요.
그 이야기를 듣고 마구 우는 한이 있어도.
전 이제부터 먼저 제 자신을 사랑하기로.
노력할 거예요.
제 친구 중에 이런 얘기를 한 애가 있었어요.

열심히 공부하는 데 여념이 없고 항상 무언가 추구하기에 힘쓰는 여학생이 가장 이 세상에서
아름답다고요.
저도 그렇게 느껴요.
아저씨, 아니 오빠도요?
지금 오빠 무얼 하고 있죠?
전요. 다른 날과 다름없이 라디오를 듣고 있죠.
이상은의 슬픔없는 이별이란 노래.
노랫말을 음미하며.
깊은 산골 옹달샘. 오늘 학원에 가서 노래연습을 했죠.
날씨가 꽤 더웠어요.
저 혼자 연습했냐고요?
아뇨.
4시가 되서야 희순언니가 왔죠. 그래서요.
전 「가요」, 언닌 「악녀」이란 이태리 가곡을 불렀죠.
연습을 끝내고 곧장 빙수씨 한테요, 갔죠.
팥빙수는 너무 너무 시원하고 달콤했어요.
전 단순한 아이는 되고 싶지 않아요.
다만 인간에 대한 상상은 하지 않을 래요.
설사 그것이 조금은 맛이 떨어진다고 하더라도요.
늘 '참 다행이야' 라는 그런 생각을 많이 하고 매사에 늘 하나님께 감사 드린자
전 온전한 하나의 인간으로 태어나게 해주셔서요.
방학도 이젠 15일 남짓 남았어요.
하지만 아직도 15일이 더 남았잖아요.
제가 그냥 버린 만큼 보충 할꺼예요.
오빠 절 부정 쉬인 아이로 보진 말아요.
그러면 슬퍼질 거예요.
중 3학때 배웠던 노래가 생각나네요.
「꽃과 어린왕자」 라는 노래.
저는 제 삶을 모나게 만들고 싶지 않아요.
둥그렇게 만들어 갈거예요. 오빠. 화이팅!
서로의 삶을 위해 열심히 노력해 가기로 해요.
오늘은 유난히도 별이 반짝이는 것 같아요. 오빠, 다음에 봐용. 안뇽.

필리아 (Philia)

사랑이 궁금해
씨앗을 뿌렸다

열심히 물을 주었다
기름진 거름도 뿌렸다

드디어
사랑의 꽃이 피었다

정말 아쉽다

열매였으면 땄으련만
차마 꽃을 꺾지 못했다

그리움

지치고 힘들 때
네가 찾아온다

술에 취해
창가에 머리를 기댈 때
스르르 찾아온다

외롭고 지쳐
마음이 허해질 때
추억으로 그리움으로 시시각각 변하며
조용히 다가온다

이젠 굳이 첫눈이 내리지 않아도
서글픈 가을바람이 불지 않아도
그렇게 소리 없이 찾아온다

별이 빛나는 밤에

잔뜩 좋아하는 노래를
차곡차곡 쌓아놓고
한자리에 죄다 모아놓고는
랜덤으로 묘한 설레임을 느낀다

뻔한 결말을 예견하면서도
수요일 밤이면 어김없이
TV 리모컨을 찾는 것처럼

낡은 구석 자리 라디오를 꺼내
별이 빛나는 밤으로
또다시 주파수를 맞추는 건

쳇바퀴 도는 내 뻔한 인생에
무언가 나를 깨우는
낯설음을 찾는 것

(마지막장 이래

- 꽃과 어린왕자 -

밤하늘에 빛나는 수많은 저 별들중에서 유난히도 작은
별이하나 있었다네.
그 작은 별엔 꽃이하나 살았다네 그 꽃은 사랑한
어린왕자 있었다네.
꽃이여 네 말을 들어요 나는 당신을 사랑해요
어린왕자 그 한마디 남기고 별을 떠나야 하였다네.
꽃은 너무나 슬퍼서 울었다네 꽃은 눈물을 흘렸다네.
어린왕자는 눈물을 감추며 멀리 저 멀리 떠났다네.

한해 두해가 지난뒤 어린왕자 돌아왔다네
하지만 그 꽃은 이미 늙어 버렸다네
왕자여 슬퍼하지 말아요 나는 당신을 기다렸어요.
꽃은 그 말 한마디만 남기고 그만 시들어 버렸다네.
어린왕자는 꽃씨를 묻었다네.
눈물을흘렸다네.
어린왕자의 눈물을 받은 꽃씨는 다시 살아났다네

랄랄랄 랄랄랄 랄라
꽃은 다시 살아났다네.

랄랄랄 랄랄 하늘가에
아름다운 사랑이야기 ---

네 이름이 무엇인지 나는 몰라
언제나 비추어건만
꺼질듯 꺼질듯
안타깝게 빛나는 작은 별아.

정만 오빠.
이 노래 알죠?
모르면 바보 -
기회가 닿으면 가르쳐 드릴께요.
아까 진짜 산봉인줄 알았죠?
호호호.
더운 여름 즐겁고 건강하게 보내요.

1989. 8. 5 (토)
-별이 빛나는 밤을 사랑하는 한 소녀로 부터-
「아일랜드 미요」

97년 가을
다

나만을 사랑한 남자. 그가 떠났

오늘, 편지

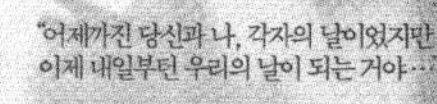

"어제까진 당신과 나, 각자의 날이었지만
이제 내일부턴 우리의 날이 되는 거야…"

박신양,
그가 떠오른다

'더이상 사랑할 수 없을 만큼
진정으로 사랑했다."

풀잎냄새가 나는 소년 같은 남자, 웃음 빛깔이 따사로운 남자. 그래서 볼수록 시선이 가는 남자. 자신이 선택한 사랑을 지키기 위해 삶의 끄트머리에서 사랑의 이름으로 편지를 쓰는 조환유를 연기하면서 박신양은 더이상 사랑할 수 없을 만큼 진정으로 최진실, 그녀를 사랑했다. 그렇지 않으면 이번 역할을 소화할 수 없었기 때문이다. 10여년간 다져온 탄탄한 연기력과 진지한 자세, 여기에 러시아에서 정통 연극을 공부했다는 이력이 맞물려 결코 가볍지 않은 박신양의 이미지를 만들어낸다.

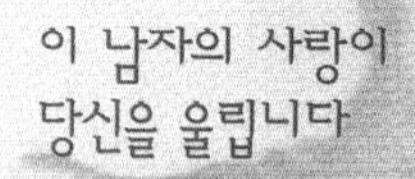

이 남자의 사랑이
당신을 울립니다

금강초롱을 보여주려는 새벽 전화,
그녀가 일어나기 전에 타는 두잔의 커피,
비오는 밤 버스정류장에서의 기다림,
파김치가된 그녀의 발을 씻어주는 손길,
그리고 서투른 편지….
그의 사랑은 소박하다.
하지만 그녀에겐 가슴벅찬
사랑인 것을…

누구에게나
잊을 수 없는 사랑이

한 여자와 한 남자가 만났다.
최고의 사랑을 만들고 싶은
그 사랑을 잘 받아안을줄 아
이제 그녀는 그의 맑은 눈으
세상을 본다.

동화속 주인공처럼 만나
온마음으로 사랑하는 두사람
그 남자의 사랑이
너무 완벽하고 행복하여
불행이 시작된 걸까.
짧은 사랑의 기억을 남겨둔
남자는 떠나고 여자는 남겨진

온통 기대왔던 어깨를 잃어버
그사람처럼 떠날 채비를 하고
그런 그녀 앞에
한통의 편지가 도착한다…

아름다운 사랑이 있는 곳, 수목원 관사.

시는 편지 한통이
찰됩니다

ㅓ 날아온 편지. 그의 사랑은 아직도 나를 울립니다

사람이 있습니다.
그리 많지 않을지도 모르니까요…

"너무 억울해. 우린 왜 이제야 만났을까?"

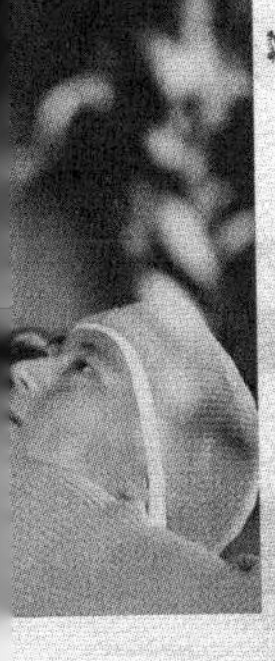

"지금 눈 감으면 다시 눈뜰 수 있을까…
떠날 시간을 내가 정할 수 있었으면 좋겠다."

ㅓ이 남아있는 동안까지는
ㅏ지 않은거라 생각해줘."

최진실,
그녀가 울고있다

"시나리오를 보고 눈이 붓도록 울었다."

상큼한 미소가 한결같은 여자. 시간이 지나면서 더 아름다운 여자. 그러면서 무언가 슬픔을 안고있는 듯한 여자. 세상 저편에서 온 남자의 편지. 그 사랑으로 사는 여자, 이정인을 연기하면서 최진실은 이런 사랑이라면 죽어도 좋다고 생각했다. 그녀가 시나리오를 보고 감동한 만큼 많은 사람들이 감동했으면 더 바랄게 없다고. 두눈에 가득 담은 눈물연기로 촬영감독의 카메라를 흐리게 하고 급기야 모든 스탭들이 뒤돌아 눈물을 훔치게 만든 그녀는 이제 귀여운 여인에다 성숙한 빛깔을 덧칠한, 가장 눈물이 아름다운 여인으로 다시 태어난다.

그녀 이야기

그녀를 처음 만난 건 햇살이 따스했던
4월의 어느 봄날이었습니다
우연히 친구의 손에 이끌려간 미팅장
유독 얼굴이 까만 한 소녀가
남자의 눈을 사로잡았습니다
차분한 분위기에 말이 없던 A형의 소녀
퀸카였던 그녀의 대학 첫 미팅 파트너가 되는
꿈만 같은 일이 마법처럼 펼쳐졌습니다
그녀의 잔잔한 미소는 말주변이 없던
쑥맥을 달변가로 만들고
사랑의 전사로 만들었습니다.
두 사람은 지하철 옆자리에 맞닿은 어깨가
땀이 송글송글 맺히는 것도 잊은 채
서로에게 깊숙이 빠져들고 있었습니다
그녀의 정거장이 오지 않기를 바랬던 남자는
한동안 마법에서 벗어나지 못하고
늘 거닐던 거리에서
만세를 부르며 한참을 달려갔습니다

그녀를 두 번째 만나던 날은
칠흑 같은 소나기가 내리는 늦은 오후였습니다
그녀는 학교 정문에 기대어 선 채
우산도 없이 온 몸으로 비를 맞으며
울고 있었습니다
고향 친구들이 보내준 시와 편지를 모두 잃어버리고
종일 괴로워하면서도
남자와의 약속을 지켜준 사람
스산한 지하 카페의 작은 난로와
남자의 애절한 위로의 말로도
그녀를 달랠 수 없었습니다
그날 밤 그녀보다 더 아팠던 남자는
조용히 기도했습니다.
이번이 이 어린 소녀에게 마지막 아픔이기를 ……

그녀를 세 번째 만나던 날은
5월의 대학 축제 때였습니다
난생 처음 핑크색 커플 티를 사서 입고
우연히 앉은 잔디밭에서
행운의 네잎 클로버가 우리의 만남을
축복해 주었습니다.
담쟁이 덩굴 뒤덮힌 캠퍼스 곳곳을 누비며
두 사람은 어느새 세상에서
가장 행복한 연인이 되어 있었습니다

시간이 멈춰버리길 바랬던 두 사람에게
그 날의 헤어짐은 무척이나
힘든 일이었습니다
집으로 가는 버스를 서너 번이나
흘려 보내고서도 못내 이별이 아쉬워
한 정거장을 더 걸어갔습니다
겨우 버스에 오른 그녀는
만원 인파를 헤집고 맨 뒷좌석으로 달려와
창문을 열고 떨어질 듯이 몸을 내밀고는
제게 손을 흔들어 주었습니다.
주변 사람들이 모두 지켜보는 가운데
두 사람은 서로의 모습이 사라질 때까지
영화 속의 주인공이 되어 있었습니다
마치 이 순간이 서로의 마지막 모습이란 걸
예견이나 했던 것처럼 말입니다

부산에서 서울로 유학 온 소녀는
엄한 할아버지와 함께 살고 있었습니다.
난생처음 외간 남자의 전화를 받은
할아버지는 소녀에게 금족령을 내렸고
휴대폰이 없던 시절 퀸카의 호위무사들은
남자의 편지를 가로챘습니다
남자는 답장이 없음을 슬퍼했고
여자는 편지 한 장 없는 남자의 무심함을 원망하며
추억 속의 인연이 되어버렸습니다

군대 가기 전 남자는 마지막 편지를 보냈습니다
답장을 받을 순 없겠지만 못다 했던 고백은
하고 떠나겠다고 마음을 전했습니다.
"내게 너무 안타까운 인연으로 남았지만
그때는 그대를 진심으로 사랑했노라"

소녀는 바로 답장을 주었습니다
미스터리로 남았던 오빠의 마음을
이제야 확인하게 되어 정말 다행이라고
내 마음과 같았다는 걸 알게 되어
너무 행복하다고 ....

현정양

안녕하신가요

이젠 조용히 한 해를 마무리할 때가 온 것 같군요.

회는) 조금 있으면 기말 고사입니다.

마음이 조급은 갑갑하기도 하지만 올 한 해동안 내 기억에

남는 사람들에게 안부를 묻고 싶은 욕구가 저로 하여금

Pen을 들게 하는군요.

반년의 시간이 흐른 지금 카드를 보니 감회가 새롭습니다

2남1녀 中 막내이면서 언니가 있었으면 하고 바라는

전형적인 A형의 여학생. 노천 극장에 혼자 일기를

즐기며 바다를 좋아하는 강가에 사는 꼬마 아가씨

지금도 그 조용하고 차분한 말투가 생각나는군요.

그런데 지금 이글을 쓰니 웬지 코가 시큰합니다

내가 너무나도 미안하게 생각하면서 나에게

큰 아쉬움을 남겼던 사람!

Sound of silence가 지금 저를 위로 하는군요

할아버지께서도 여전히 건강하신가요 지금 돌이켜보니

할아버님도 꽤나 매력있는 분으로 여겨지는 까닭을

알수가 없습니다

현정양 지금은 가을이 슬쩍 자취를 감추어버린

시리도록 새파란 초겨울입니다.

저는 이제 옛날에 못했던 단 한마디를 풀어놓으려 합니다

"그 때는 그대를 정말 좋아했노라. 비록 짧은 만남이지라도...

현정!

이제는 어쩌면 영원히 다시 못 볼 것만 같군요.

하지만 나의 진솔을 빌어주지 않겠소. 그래야 나는

아쉬움을 뒤로 한 채 옛날의 아름다운 추억을 유난히에

곱게 싸서 고이 접어 둘 수 있겠소

부디 행복하시오...

그때는 그대를 정말 좋아했노라.
비록 짧은 만남일지라도...

Space of Mine 어디에선가 귀에 익은 정겨운 곡조의 노래가 들려온다.

정만 오빠!

편지 받으면서 정말 고맙고, 오빠의 따뜻한 마음이

얇은 편지지에서 전해져 옵니다.

내게 있어 대학이란 장소에서 첫 인연이라고 할까.

꼭 의미 있는 만남이었다고 지금도 생각합니다.

새파란 나뭇잎이 하나. 둘 회색 되어 갈 무렵,

5月의 풋풋한 담쟁이 덩쿨이 생각납니다.

오빠!

이제 정말 11月이 다 지나갔읍니다.

아니, 내 대학 일학년의 세월이 지나가버렸읍니다.

으스산한 날씨에 오빠와의 만남, 멋진 campus, 일기장에

꽂혀 있는 네잎 클로버의 추억들이 그리워지는 것은

거기엔 따뜻함이 담겨있기 때문이겠지요.

그리고 많은 아쉬움이 있기에 지나간 시절이 더욱 아름답게

느껴지겠지요.

내게 있어서 소중한 추억들이 오빠에게 있어서도

소중하다는 걸 알게 되어 무척 기쁩니다.

이제 다시 돌아오지 못할 시간들이겠지만

나 역시 가슴 한 구석에 아름다운 기억으로 곱게 접어 두렵니다.

오빠!

이제 자그마한 촛불 하나 밝히며 소원을 빌어봅니다.

많은 아쉬움을 남긴 만남이었지만 내게 소중했던 사람에게

더 멋있는 인연이 나타나길 빌며……

추워지는 날씨에 건강하시고

따뜻한 겨울 보내시길 바랍니다.

pace of Mine 어디에선가 귀에 익은 정겨운 곡조의 노래가 들려온다.

내 대학 생활의 아름 다운 추억 속에서

자랑스럽게 그리고 아름답게 얘기할 수 있으리라 생각합니다.

무한한 감사를 드리고 싶고, 오빠의 삶속에 행복이 충만하길.

'89. 11月의 아름다운 날에.

세잎 클로버의 꿈을 간직한 소녀가.

사람이 사람을 소유할 수 없듯이,

영혼이 영혼을 소유할 수 없듯이,

사랑도 사랑을 소유할 수 없듯이.

사랑이란 소유가 아니라, 그저 혼자서 타고 물이드는

낙엽과 같은 것일듯.

사랑이란 소유가 아니라,

그저 혼자서 타고 물이드는

낙엽과 같은 것일듯...

현정

자정이 가까와오는 지금 바로 어제의 여운을 잊지 못하고 통계학 Note를 뒤로 한 채 또 다시 현정 양의 편지를 보며 눈시울을 적십니다

누구보다도 힘겨운 재수시절을 보냈고 대학 생활을 2년이나 했는데 나의 마음이 이토록 나약한 줄은 예전엔 미처 몰랐습니다. 현정양 나를 너무 비웃지 마시오. 불과 1주일 전만 하더라도 친구들과 만나면 이젠 나도 소년시절의 순수했던 눈물은 다 잊어 버리고 무디어질 대로 무디어진 속물이 다 되었다고 쓴 웃음짓던 내가 때 아닌 계절에 이토록 진한 향수에 눈물흘릴 줄이야…

지난 밤은 온 밤을 기쁨과 갈등 속에 지샜답니다. 무엇보다도 시간을 하나하나 흘려 보내면서 내게서 서서히 잊혀져간 진실이란 단어의 조각들을 사뭇 다시 대하고 있다고 생각하니 내 마음은 날아갈 것 같았지만, 즐겁고 행복하게 지내고 있을 어린 현정양에게 이 철부지 오빠의 편지가 그대의 둥지를 얼마나 흔들어 놓을 지 지난 번 편지의 두려움만큼 지금도 친구들의 반대에도 무릅쓰고 또 다시 마른 종이 조각에 잉크를 묻혀 봅니다

어제는 너무나 마음이 복잡해서 영문 모르는 친구들을 붙잡고 나의 마음을 어찌 해야 할 지 물었읍니다.
역시 한결같은 대답들이더군요. 현정양은 아직 순수한 소녀의 꿈을 간직한 착한 사람이기 때문에 앞으로도 무한히 많은 훌륭한 만남의 기회를 가질 수 있을 거라고 말입니다.
저 역시 이 말에 동감을 느끼고, 또 그렇게 하는 것이

NO. 1338 모닝글로리

진정한 나의 도리인 줄 알면서도 현정을 처음 만났을 때
내가 결심했던 한 가지 「다음 해 1月 26日에는 나도
현정에게 아름다운 마음의 선물을 꼭 전해야지」의 생각이
나의 뇌리를 떠나지 않아 마음이 더욱 산란합니다
현정양 나는 지금 그 따뜻한 마음을 확인한 이상 더
바랄 것이 없지만 나의 소원은 결국 이룰 수 없는 건가요?
현정! 이 오빠가 너무 하는 것은 아닌지 난 지금
아무 것도 모르겠소. 하지만 이것이 내 솔직한 심정임을
이해해 주었으면 하고 바라며, 나의 넋두리가 부담이
되지 않길 빕니다

보고 싶은 현정에게
12월 첫 주말에
정만 씀

「밤새 설레며 쓴 편지는
그녀에게 보내지 못했다...」

이별 선물

지워야 한다
너를 지워야 한다

내 가슴에 네가 있는 한
고독이 함께 하기에

만남이 인연을
만든다면
돌이킬 수 없음이
추억을 만듭니다

인연이 없음을
안타까와 하는 사람은
동정을 받을 수 있지만
추억이 없음을
슬퍼하는 사람은
가장 불행한 사람입니다

현재보다 미래를
생각하는 이에게
오늘의 이별은
아름답다고 믿기에

이제 잊혀지는 한 남자가
현실 속으로 비행을 시작하는
그대에게 어제까지의
시간을 선물합니다

그 시간이 덧없이 흘러
그대 소중한 기억으로 남을 때
저의 이 그리움도 비로소
행복으로 채워질 겁니다

외사랑

나는 너의 수호신 !
딱 그만치만
다가갈게 !!

내 마음 들키지 않게
네 마음 다치지 않게

행복한 고독

둘이 함께 있어 행복해도
나 오늘 홀로 이 길을 걷는 까닭은

둘이 나눈 대화가 즐거워도
나 오늘 또다시 홀로 생각에 잠기는 것은

타다 지친 낙엽의
하얀 재를 밟으며

지기 전에 화려한 제 빛을
다하는 것이

이제 올 찬서리를 저어함이 아님을
아는 까닭입니다

유난히 포근한
11월을 보내며

정만이 오빠에게

그간 잘 지냈어요? 저 수연이에요.
공부하려고 책상에 앉았는데 갑자기
오빠 생각이 나서 이렇게 쓰는거예요.
그날 정말 즐거웠어요. 근데 요즘
일이 잘 안 풀리는 거 있죠.
내 마음을 이해해 준 건 오빠밖에
없는 거 있죠. 그 Telephone Romance 있잖아요.
그 때 얼마나 기뻤던지 그래도 이런
걸 이해해 주는 사람이 있다는게.
저 이제 그때 말한 남자 포기하려고
하거든요. 그러니까 AB형의 남자 하나
구해 주시겠어요? O형 여자는 아무리
찾아도 보이지 않지만 보이면 연결시켜
드릴께요.
저희는 다음 주 시험이에요. 그런데
공부를 아직 하나도 안 한 거 있죠?
괜히 두서없이 글을 쓴 것
같아 후회스럽네요. 그럼 답장 기다릴께요.
오빠 그럼 안녕.

고향골에서

수연이 드림...

107456

서울시 서대문구 신촌동
134

연세 대학교
경제학과 2학년
· 박명주
· 박재림
· 박정만
의 hands 로

보낸이;
성균관대 의상학과
1학년
누굴까요?

여인

언제나 마음에 빛으로 남아있던
한 여인이 있었습니다
편지를 습관처럼 쓰던 시절
그 흔한 엽서 한 장
남기지 못했던 그녀

누나라는 이름으로 다가와
잠시 내 곁에 머물다
마음에 상처만 가득 안고 떠난 여인
내 옆에 있기를 간절히 바랬지만
사랑이란 변명으로 보내야 했던 그 사람

어느 날 대학 풋내기에게
소리 없이 나타나
말없이 쉼터가 되고
그늘이 되어주었던 사람

못난 선머슴아이와 영화를 보아주고
뜨거운 햇살 아래 옷자락에 떨어진
아이스크림 자국을 조용히 지워주던
물망초를 닮았던 그녀

천방지축 스무 살 철부지의 응석을
말없이 받아주고 달래주던
한없이 여렸던 한 살 차이 그 누나

수없는 단어를 지우고 고쳐 써도
누나를 고집하는 남자에 지쳐
그녀는 한참을 엎드려 울고 난 후
저 멀리 사라져버렸습니다

온갖 냉대와 무관심에도
한결같이 그녀의 집 앞을 맴돌던
한 무뚝뚝한 사내를 향해
한없이 무거운 발걸음을
이어갔습니다 ......

소년의 고백

우울한 날에
은빛 찻잔을 뒤로 한 채
한 끼 식사로
차표를 구합니다

지향 없는 나그네의
설움보다
더 긴 시름 이어가는
철길에 몸을 기대어 봅니다

수많은 연인들이
뿌리고 갔을
그 웃음들을 밟으며
저 뱃길 너머
눈을 닮은 당신이 손짓하는데
나는 오늘 그대 향해 저어갈
노 하나가 없습니다

강으로 난 길을 따라
목놓아 부르다가
못다 한 님 그리움만
흩뿌립니다

먼 훗날 비에 씻겨
저 냇가에 고일 때
나 그대 잠든
뱃전에 부딪히는
강바람 되렵니다

ZUN, HOO-YON'S SERIGRAPHY 「LOVE, DREAM, NATURAL, TOUR, YOUTH」 YON GALLERY. SEOUL, KOREA

안녕!

보내준 편지까지는 잘 받았는데, 학보는 왔다는 얘긴 들었는데 아직 못 받았어. 나도 편지를 받고는 너무 너무 기뻤어.

문득 문득 외롭고, 때때로 즐겁고, 이따금씩 괴로운 것이 이제는 어색하지가 않아.

하지만 스스로를 위해 스스로 노력하는 과정속에 어느덧 젖어가는 것 같아.

정만이도 잘 지내리라 믿어. 혼자있기를 좋와하고 고독은 즐기는 성격이라 그랬지? 그건 별로 좋은 점이 못되는 것 같아.

많이 부딪히고 깨지고 일어서고 하면서 젊음을 누리고 인생을 개척해 나가는 것이 아닐까?

정만이의 글들은 너무 너무 섬세해서 시 같아.

다음 다음 주 부터가 시험이야.

체육시험으로 '토스'를 하는데 걱정이 돼.

그림 보는 거 좋와해? 화랑에 가고 싶어.

조금 더 건강해 지라구. 안녕~

오월 마지막 날 밤

120-749

TO 서울시 서대문구 신촌동 134

연세대학교 상경대학 경제학과 1년

박 정 만

FROM 충북대학교 영어교육과

호연 판화 · 공방 : 潤潤齋 · 판법 : Serigraphy · 연화랑

극단 까망 제5회 공연

'89. 10月1日 — 11月1日 4시30분 7시30분
둘째, 넷째 화요일은 공연 없습니다.
홍익 소극장 신촌로타리 홍익서점 4층

2인동반할인권

- 본권은 2인 입장시 8000원을 5000원으로 할인하여 드리는 팃켓입니다.
- 1인 입장시 2500원 입니다.
- 공연문의 312－1834

시30분/밤7시30분 ●을지로6가·동대문운동장역〈2·4호선〉디번출구앞·광희 1가방향·278·0391

● 동반우대권

●1人입장시 4,000원을 2,500 원에
●2人입장시 8,000원을 5,000 원에
▶중고생은 1人2,000원/2人4,000원

▶ 공연중 회환증정 · 사진촬영 · 객석 출입을 금합니다. ▶ 7세이하의 어린이는 입장할 수 없읍니다. ▶ 지정된 시간외 입장은 거절당할 수 있읍니다.
〈비매품〉

문득문득 외롭고
때때로 즐겁고
이따금씩 괴로운 것이
이제는 어색하지가 않아!

하늘이시여

이토록 아름다운 날에
당신이 정해준 인연을
만나지 못한다면
차라리 가슴 시리도록 슬픈
이별만을 허락하소서

연인들의 호숫가
홀로 노래하게 하시고
마른 가지 앙상한 숲길
한잔 술에 취하게 하소서

혹시 우연히도
그녀 마주치게 되면
제 두 눈을 멀게 하시고

어설픈 몸짓
철없는 말투로
서로를 눈치채지 못하게 하소서

먼 훗날 그녀를 만나기까지
너무 힘들었노라
아팠노라 말할 수 있도록

젊은 날의 고독과 눈물
한숨이 재 되고 싹이 되어
그대 그리움으로
활짝 피어날 수 있게 하소서

별 그대

내 마음 아실 당신이시여

내 가슴이 얼마나
더 비워져야
당신을 안을 수 있을까요

내 마음이 얼마나
더 메말라져야
그대의 눈물을
적실 수 있을까요

내 심장이 얼마나
더 무너져내려야
님의 발끝에 닿을까요

저 멀리 별이 되어
영원히 잠들지 않을 그대여
오늘 밤엔
저의 꿈을 꾸십시오

사랑 B반

내 사랑은 2등
최선 다해 달렸지만
아쉬움만 남는 것

내 사랑은 88점
밤을 꼬박 새웠지만
문턱을 못 넘는 것

내 사랑은 오로라
가장 밝게 빛나지만
북극보다 차가운 것

내 사랑은 지하수
땅속에선 바다인데
산기슭에 졸졸 흐르는 것

비사랑

사랑은 시기도 교만도 아니 하지만
기다려주지 않는다
잡으려 하면 멀리 달아나고
도망가면 지겹도록 쫓아온다

사랑은 모든 것 감싸주지만
나의 것은 아니다
다가갈수록 상처는 깊어만 가고
마음을 열수록 약자가 되어간다

사랑은 영원하지만
철들지 않는 아이처럼 어리기만 하다
만남이 수북이 쌓여가도
늘 서투르고 답도 없다

— 사랑 위에 —

사랑은 오래 참습니다. 사랑은 친절합니다.
사랑은 시기하지 않습니다. 사랑은 자랑하지 않습니다.
교만하지 않습니다. 무례히 행하지 않습니다.
자기 이익을 구하지 않습니다. 성내지 않습니다.
남의 악행을 기억하지 않습니다.
불의를 기뻐하지 않습니다.
그리고 진리와 함께 즐거워합니다.
모든 것을 덮어줍니다.
모든 것을 믿습니다.
모든 것을 바랍니다.
모든 것을 견딥니다.
사랑은 영원합니다.

1988. 12. 25.

사랑은 모든 것을 덮어줍니다.
모든 것을 믿습니다.
모든 것을 바랍니다.
모든 것을 견딥니다.

사랑은... 영원합니다.

이별 통보

너 떠난 후 너덜너덜해진 눈밭 길에
여기저기 흐트러진
지푸라기 몇 점을 모은다

울컥한 마음에 꽉 움켜쥐고 보니
이내 응어리 되어
차돌같이 단단해진다

저 너머로 멀리 던져보고
이리저리 굴려도 보고
힘껏 차보았지만

너의 모습은 점점 커져 내게로 다시 향한다
미움과 원망에 둘둘 말려
눈사람만큼 커졌을 때
하얀 둥근 얼굴에 얄미운 눈썹 하나 붙이고
고약한 점 하나를 크게 그리고는
이제 너를 놓아주려 한다

기나긴 엄동설한 지나고
새벽에 동이 터올 무렵
어김없이 따뜻한 햇살 다시 떠오르면
내가 그린 못난 네 얼굴도
아침이슬 되어 어디론가 사라지겠지

그때쯤 내 마음의 서러움도
눈 녹듯이 녹아서
시냇물 따라 흘러 흘러
저 먼 추억의 바다에서 너를 다시 만나리라

짝사랑

1%라도 공감할게 있으면
나는 '맞아'하며 맞장구를 칠거야
99%가 맘에 안들어도
나는 '그런게 있었어'하고 박수를 칠거야
나는 조금 쑥스럽지만 그는 많이 기뻐질테니까

어제는 100% 맞는 사람을 만났어
나는 너무 놀라 아무 말도 못했어
나는 '이런 애가 있었어'하고 헛발질을 했어
나는 정말 진심인데 그는 전혀 좋아하지 않았어

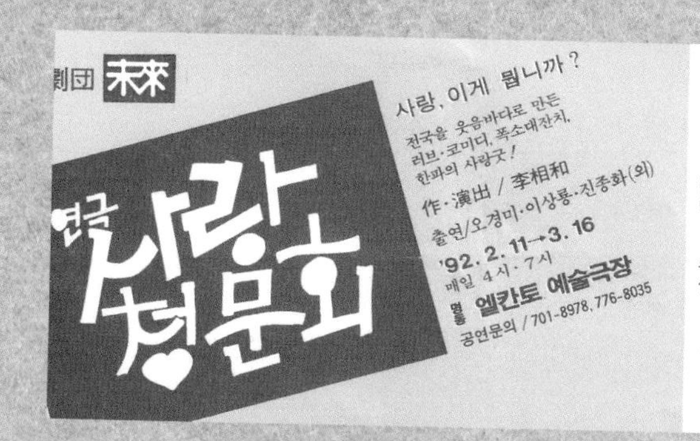

나는 정말 진심인데
그는 전혀 좋아하지 않았어...

120-749

서울시 서대문구 신촌동 134

연세대학교 상경대학 경제학과 1년

박 정 만

저를 지켜보는 따듯한 눈이 있었기에
그때도 지금도
무사히 잘 있는가 봅니다...

SAILING

여러 통의 주신 글 잘 받아 보았어요.
계절의 변화는 어느 곳을 막론하고 젊은이들을 들뜨게 하는가 봅니다.
답장을 안 드린 데 대한 이유 아닌 이유(?)를 붙여 보지요.
불과 일년 가까운 세월 중에 너무나 저의 좋은 면을 보아주셨더군요.
그것이 눈에만 보였던 현상일 수도 있고, 사실 그렇게 행동함으로써 긴치
않게 생각되었던 생활의 사사로운 일을 문제시 하지 않을 수가 있었던 거지요.
둘째라고 번호매겨 보렵니다. 이제까지의 정만씨의 막연한 이상향에
하찮은 계집아이를 꿰어 맞추시는 듯한 인상이었어요. 멀리 있는 잔디밭이
더 소담스럽기는 하지요. 학교 공부에 시달렸던 정만씨의 정서를 너무
한꺼번에 저 라는 대상을 쏟아 붓는 듯해요. 자신에 대해 좀더
진지한 태도가 필요하리라 생각되네요.

어려운 순열문제를 칠판에 나가 차분히 푸시던 모습이 생각나요.
제가 가장 힘들었던 3열 1석 시절(?) 무척 고통스러웠다니 죄송스런
생각이 듭니다. 저를 지켜보는 따뜻한 눈이 있었기에 그때도 지금도 무사히
잘 있는가 봅니다. 먼 곳에서가 아니라 생활주변에 좀더 관심을
가져 보세요.
늘 건강하시길 빕니다. 몸도 마음도.

88. 5. 2.

from 희수

SAILING

그 집 앞

스산한 늦가을 밤
차가운 가로등 아래
그녀의 스탠드 불빛
꺼지길 기다리며
또 하루를 지샌다

어느 날 내게 다가와
맘대로 사랑하더니
내 맘 활짝 열어놓고
저 멀리
달아나버린 그녀

너는 관심이란 이름으로
허락 없이 다가와
잠시의 행복과 함께
형벌 같은 그리움만 남겼다

신은 남자에게
사랑할 의무만 주고

여자에게는
선택할 권리를 주셨나 보다

퍼피 러브

용광로처럼 뜨겁던 시절

진심이란 핑계로 무작정 다가가
사랑이란 착각으로 우리라 믿었다

그녀의 놀란 입은 수줍은 몸짓
뒷걸음질은 연인의 손짓이라 믿었다

낯선 사내와의 원치 않는 숨바꼭질
술래는 밤새 쫓고
수많은 별들은 지쳐 사라진다

집착

어차피 실패할 사랑이라면
원 없이 그리워하고
그렇게 혼자만 아파야 했다
굳이 확인하지 말아야 했다
고백도 말아야 했다

차라리 가슴속에 홀로 담아두고
거친 숲속에 그녀를 지켜야 했다
영원히 아름다운
나만의 사랑으로 남겨야 했다

고집스럽고 우둔했던 한 남자는
그 순수했던 사랑이
그녀에게 얼마나 큰 구속인지
그땐 미처 깨닫지 못했다

남자는 너무 늦게 철이 들었고
그 뜨거운 회한의 눈물 보아줄
그녀는 더 이상 세상에 없다

2부

별들이 떠난 하늘 새벽비 노래할때
그대가 떠난 긴 밤은 무척 아팠습니다

아픈 밤 시린 추억

나는 안다
이 밤이 지나면
긴 새벽이 온다는 걸

나는 안다
이 시간이 지나면
그대 영영 떠난다는 걸

나는 안다
이 찻잔의 온기 식어지면
남겨진 추억만큼 아파질 거란 걸

나는 안다
네 눈가에 이슬 맺히면
그대 마지막 이별 선물이란 걸

나는 안다
이젠 안녕 그 손 흔들면
내 맘속 슬픈 별 하나 그대 ....

회상

어느덧 어렴풋해진 풍경
그 철없던 사랑이
문득 떠오르는 건

이젠 세상 이치를
깨달았노라 자만하면서도
또다시 그리움에 빠지는 건

아직 그대를
못 잊기 때문일까요
여전히 내가
어리기 때문일까요

오늘같이 잠이 오지 않는 날이면
철부지 같았던 시절
그대와 내가 그렸던
한없이 못난 사랑이
너무도 그립습니다

나는 여백이다

커다란 제목
옹기종기 글자 옆에
흔적조차 하나 없는
텅 빈 변두리

너의 마음 머무는 곳
귀를 접어 이정표 되고
너의 마음 겉도는 곳
굵은 낙서 그림 된다

하는 일 하나 없어
눈총받고 무시받지만
나 없으면 온통 흑빛
못생기고 답답하지

제 못나서 비었지만
이러저런 세상 사연
만고 진리 담아내는
책 속 큰 어른이다

노란색 등잔 아래
지친 너의 손끝
늘 맞닿는 곳
작은 쉼터 여백이다

THE HAIRDRESSER'S HUSBAND

사랑한다면 이들처럼

'90년 루이델뤽상 수상작품!!

프레지던트필림 작품 DOLBY STEREO IN SELECTED THEATRES (주)우진필림 수입·배급

특별할인권

할인 요금3,000원

● 강남유일의 70%대형극장

씨네하우스

영동도산공원앞544-7171

●본권과 할인요금을 극장매표소에 넣으시면 입장권과 교환할 수 있습니다.
●일반요금 5,000원을 특별할인요금 3,000으로 관람하실 수 있습니다.

97년 8월 8일~10월 5일 까지

특별할인권

화, 수, 목 7시 30분 / 금, 토, 일, 공휴일 4시 30분, 7시 30분
단, 월요일 공연없음

● 입장료 12.000원을
→1인 입장시 8.000원으로 특별할인 해드립니다.
● 본권은 4인까지 사용할 수 있습니다.
☎ 문의전화 : 745-8535

劇団 로뎀

창단공연

전미 연극평론가 협회 선정
'70 ~'80최우수작품!

'87 바브라 스트라이샌드 주연으로
영화화되어 폭발적인 화제를 불러모은 문제작!

넛츠

미친것들 NUTS

출연
김순이
임홍식
하상길
박병모
김만혜
윤병화
김익태
김명국
최홍일
김형주

전공 : 법학
직업 : 고급매춘부
병명 : 편집증적 정신분열증
죄명 : 1급 살인죄

작/톰·토퍼 연출/김동중

연장!/4月12日까지

바탕골(대학로 혜화역)소극장

모처럼 진솔한 연극 하나가 당신을 기다리고 있다

●낮 4시 30분/밤 7시30분 일요일은 쉼●대학로, 지하철 4호선 혜화역 764-1130

창단기념 특별할인권

이 티켓을 가지고 오시면 1인당 입장료 4,000을
3,000원으로 할인해 드리며
세분까지 사용할 수 있읍니다.

시와 나

시에는 마침표가 없다

시간도 멈추지 않는다

내 마음도 쉬지 못한다

나는 시를 쓴다

네게 쓰는 시

내 사연 네게 닿을 때

내 물음이 네 느낌이 되고
내 아픔이 네 위로가 되길

내 사랑이 네 동화가 되고
내 이별이 네 수채화가 되길

내 기도가 네 노래가 되고
내 마음이 네 온기로 남기를

新村에서

120-749

김 선화

서울 동대문구 이문동 270
한국 외국어대학교 독일어과 4년

130 791

부치지 못한 편지
신촌에서 박정만...

음악만이 흐르는 짙은 가을 밤 하늘 아래에서 조용히 앉아 있노라면 나도 모르게 Pen과 종이 한 장을 손에 쥐는 묘한 습관이 내 마음을 잠시 휘젓는군요.

대상이 없는 글 … 사람들은 이런 느낌을 일기라는 형식으로 풀어 놓지만 난 아직 일기를 써 본 기억이 없어서 항상 이름 모를 그 누군가에게 알 수 없는 이야기를 늘어 놓곤 한답니다. 그리고 오늘 밤엔 느닷없이 브라암스의 음악속에 시원하게 웃는 귀하의 모습이 떠올라 이 글의 주인으로 삼으려 합니다.

여인의 웃는 모습은 아름답지만 소녀의 환한 웃음은 한 작은 소년의 마음을 무척이나 아프게 합니다. 떠나가는 소녀의 의미를 알 수 없는 웃음이 이별을 슬퍼하는 소년의 눈물을 메마르게 하기 때문이죠. 느닷없이 이런 글을 늘어 놓아 지금 무척 당황하고 있군요. 그러나 10년이 넘도록 깨닫지 못하고 있는 한 소녀가 남긴 의미를 귀하께서 다시 떠 오르게 했읍니다. 그리고 지금 이시간은 잠시 동심으로 돌아갈 수 있어 저는 무척 행복하구요. 차후에 제가 귀하의 의견을 들을 수 있는 기회를 가질 수 있다면 영광이겠읍니다.

아차! 제 소개가 늦었군요. 저는 연대에서 같이 수업을 받고 있는 연대 경제학과 3년 박 정만입니다. 오랫동안 같이 공부하다보면 서로 인사를 나눌 때도 있을 것 같군요.

이 가을 밤의 고요를 환한 外大의 낮 하늘에 전합니다.

Good night!

박 정만

사랑 상륙작전

너의 미소 갇혀있는
어두운 그림자 섬
수복하려 상륙작전을 전개한다

사랑과 희망의 연합군이
어렵게 힘을 합쳐
차가운 바다를 가른다

백만 송이 푸른 장미
새님 맞이 라벤더로 무장해
새벽 고요 뚫고 달려간다

그대 그대로 있으라
외로워도 좋다 슬퍼도 좋다
내일 아침이면 내가 그곳에 있을 테니

사랑도 휴식이 필요해

오늘 하루

그녀 생각하지 말기
보고 싶지 말기
외로워하지 말기

이 지친 그리움이 완충되어
내일 더 열심히 사랑할 수 있게

박 정 만

어느새 벌써 여름인가 하는 생각이 드는걸 보면 세월이 빠르긴 빠른가 봅니다.
나도 모르는 틈에 어른이 된 탓일까 태양빛이 너무 뜨거워 밖으로 나서기가 두렵다는 느낌까지 듭니다.
저번 금요일일은 무척 미안하게 생각하고 있어요.
사과하는 뜻으로 제가 언제 미술관 구경이나 시켜드리지요.
요새 좋은 전람회가 꽤나 많은것 같거든요.
하지만 만약에 화가나서 거절한다거나 하면 안돼요.
그러면 제가 더욱 미안해지니까요.
내일부터는 서강대에 TOEFL을 들으러 다녀요.
지난 겨울도 들긴 했지만 워낙에 짧은 실력이라 별 수 없이 반복하기로 했답니다.
8:30에 시작하는 첫시간 것을 듣는 탓으로 평소보다 더 일찍 일어나야 하니 어쨌든 늦잠자는 일은 별로 안 생길 것 같습니다.
방학중에는 독서와 여행으로 일관하라는 교수님 말씀에 따라 7월 1일부터 여행비슷한 것을 떠납니다.
정확히 말한다면 여행이아니라 Camp가 되는군요.
재미 중·고 학생들을 대상으로 하는 Camp로 저는 조수격 입니다.
우연히 생긴 기회이지만 고생좀 하려고 눈 딱감고 가기로 했읍니다.
2주일이나 걸리는 긴 Camp긴 하지만 아주 좋은 경험이 될 것 같기에 물론 힘이야 무척 들겠죠. 그러나 보람있을꺼라고 자신하는 까닭에 과감하게 14일을 투자하는 것이지요.
장소는 강원도 속초. 혹 생각나면 작은 선물이라도 가져올지도 모르겠군요.

항상 새로운 일에 도전하는 진취적인 삶이 되세요.
언젠가는 지금의 긴 모험과 방랑속에서 돌아와 어느새 커져있는 자신을 발견하리라 믿어요.

6. 26. 강 수현

시간을 앞당겨 버린 정만이는
차마 버리기 아쉬운 이 가을에
수현에게 마지막 계절 인사를 띄운다

수현

사람은 말을 많이 하면 생각이 깊어지지 않나
이젠 글을 써도 재미가 없다
친구들에게 안부를 전하는 것조차 부담이 된다
이젠 너무도 강해진(?) 정만이는 상대적으로 감상에도
빠지지 않고 은근한 멋도 상실해 버리는 것 같다
나는 고독해도 좋다 아름다운 글만 쓸 수 있다면
나는 사랑을 할만큼 아름다움이고 싶다
진실은 아름다운 것 진실을 망각해버리는 정만이는
너무나 밉다 춥다 쓸쓸하다 울고 싶다
싸늘하게 메달려버린 내 눈물이 너무나 슬프다
현! 이 가을이 다가기 전에 정만에게 눈물 한 방울
빌려주지 않으련

지워진 사랑

어느 날 갑자기 싸늘해진 너
밤새 전화해도 받질 않고
새벽 문자에도 답이 없네

사랑이 식은 것도 아니고
믿음이 사라진 것도 아닐진대

혹시 그것 때문일까
내가 들은 풍문 너도 들은 거니

그건 사실이 아닌데
나에겐 변명의 시간조차 없는 거니

마지막 남긴 카톡 하나
클릭 한번 못 해줄 만큼
우리의 절절한 만남
그처럼 덧없던 거니

나의 잘못이라면
용서라도 구할건만
이제 우리 둘
오해와 미움만 간직한 채
덧없는 세월의 치유만 기다릴까

헤어질 녘

너 떠난 후
창문 밖에
이별 노래가 들렸어

하염없이
눈물이 흘렀어

내 사랑은
너무 슬퍼
노래할 수 없어

외마디
숨조차 쉴 수 없어

그저 나 하나로

난해하고 복잡한 걸 싫어합니다
그건 내 마음 하나로 충분합니다

상처나고 구멍난 걸 싫어합니다
그건 내 심장 하나로 충분합니다

외롭고 쓸쓸한 걸 싫어합니다
그건 제 사연 하나로 충분하니까요

당신의 이별과 눈물을 싫어합니다
그건 저 하나로 충분하니까요

Live

우울한 날에 은빛 찻잔을
뒤로 한채
한끼 식사로 차표를 구합니다
지향없는 나그네의 설움보다
더 긴 시름이어가는 철길에
몸을 기대어 봅니다

수 많은 연인들이 뿌리고 갔을
그 웃음들을 밟으며 저 뱃길 너머
눈을 닮은 당신이 윙크하는데
나는 오늘 그대 향해 저어갈
노 하나가 없습니다.

강으로 난 길을 따라
목놓아 부르다가
못다한 삶 그리움만
흩뿌립니다.

변 햇살 비에 씻겨
저 냇가에 고일때
나 그대 잠든 뱃전에 부딪히는
강바람 되렵니다

내 마음 아실 당신이시여
내 가슴이 얼마나
더 비워져야
당신을 안을수 있을까요.

내마음이 얼마나
더 메말라야
그대의 눈물을 적실수 있을까요

영원히 잠들지 않을 그대여
오늘밤엔 저의 꿈을 꾸십시오

사랑하는 사람을 가지지 말라
사랑하는 사람은 못봐서 괴롭고 ..
사랑하려는 사람에게도 자격시험이 필요합니다
최소한 그가 홀로서기를 할수 있을 때라야
진실로 누군가를 사랑할수 있을테니까요
전 아직 홀로서기에는 자신이 없습니다.
하지만 누군가를 향한 끝없는 이 그리움은
더욱 잠재울 자신이 없습니다.
왜 그대는 그렇게 서둘러 떠나야만 했나요
누군가가 상처받아 아파함이 그대에겐 쾌락인가
그렇지 않으면 좀더 시적 여운을 남기기 위해서..
오빠는 자신밖에 사랑할줄 모르는 지나친
감상주의자 예요
사랑에는 생활 같은 현실을 아름다운시로
승화시켜 남기려 하는....
상대방의 아픔은 전혀 안중에 없는...

Aram COLLECTION

Live

사람은 모두 자기의 다른 사람과 혼돈될수 없는 영혼을 가지고 있어
두 사람이 서로 같이 걸어갈수가 있고 같이 말할수가 있고 또한
가까이 살수는 있을것일세 그러나 두 영혼은 꽃과 같아서
각각 다른곳에 뿌리를 박고 있기 때문에 서로 가까이 할수 없는거지
그래서 가까이 하려면 뿌리를 없애야 할것이지만 그것은 안될일이지
꽃은 자기의 향기나 씨를 보내 교섭할수 있으나 씨가 적당한 곳에
가게 하는것은 꽃이 아니라 바람이 하는거지
바람만이 자기가 가고 싶은데로 마음대로 왔다 갔다 하는 것일세

— 크눌프 中에서 —

저와 혼돈될수 없는 영혼을 가진이에게 바람이 제 향기를
실어 날을수 있기를 기원 합니다
간절히... 아주 간절히...

전 오빠가 이세상은 결코 물거품이나 허무함만으로 뭉쳐진 곳이 아니라
따뜻한 사랑이 더 큰 비중을 차지하고 있다라고 가르쳐 줄수 있는
유일한 분으로 생각 했었습니다

'93 11. 20

미 드림

ADD) Korean department
Eastern Tours Enterprises
, #52 .
WanCHAI, Hong Kong
Tel)

Live

- 인생의 무상 사랑의 허무 -

사랑하는 사람을 가지지 말라 미워하는 사람도 가지지 말라

사랑하는 사람은 못만나 괴롭고 미워하는 사람은 만나 괴롭느니

이 목숨 태어남은 한조각 뜬구름 일어남이요

이 목숨 스러짐은 한조각 뜬구름 사라짐이라

뜬구름 그 자체가 본래 없었던것 인생의 오고감도 그와 같느니

아 - 아 - 사람은 오래지 않아 다시 흙으로 돌아가리라

정신이 한번 몸을 떠나면 뼈만 땅위에 떨어지리라

무엇을 웃고 ... 무엇을 기뻐하랴

세상은 쉬임없이 타고 있는데..

무엇을 탐하고 ... 무엇을 의지하랴

이세상 모든것이 물거품 인데 ....

술써 마셔도 음울한 한주였습니다

창가에 쉬임없이 부딪치는 빗물소리와 가로등 불빛 때문에 몇시도 긴밤을

눈물로 얼룩진채 뒤척여야만 했습니다.

너무도 애절히 그리운 사람 때문에 ....

전 아름다운 만남이 그것을 더 소중히 하기위해 깨어져야 한다는데에는

절대 동의 할수가 없습니다.

차라리 서로의 치부가 들어나 깨어져 버리는 편이 훨씬 낫습니다

최소한 찢어지는 아픔은 느끼지 않을테니까요.

왜 그대는 그대 마음속에 자기 자리잡지 않은부분 때문에 받아들일수 없다고 말하지 않습니까

왜 그대는 그대가 받아들이기엔 너무 가치없는 여인이라 말하지 않습니까

그런 이유라면 전 얼마든지 그대를 떠나겠습니다.

그대의 추억이 영원히 간직될수 있도록 ....

Live

진실로 진실한 마음 앞에서 그것을 거부해 버리는 당신이라면
이미 당신은 인간이 아닙니다.
이건 공평치 않은 play 입니다 최소한 fair play 의 규칙은 지켜줬어야 했습니다
낮에 오빠집에 전화 했었습니다 오빠 아버지인것 같았어요 오빠가 잠깐 외출중이라
하시더군요. 저녁에 또 전화 했습니다 오빠 어머니는 오빠가 시골에 갔다고
끝까지 오빠와의 약속을 지켜주더군요.
전 오빠가 서울에 있다고 확신합니다.
이렇게 까지 철저히 절 피해야 할 이유가 있었습니까
제가 그렇게 진저리 나도록 싫었나요.
그럼 그렇다고 만나서 이야기 해주어야 하는것 아닌가요.
오빠 마음속에 제 모습은 이미 지워진 한부분이 돼버린지 모르지만
제겐 더욱 애절한 영상으로 자리하고 있습니다
오빠가 끝까지 해명해 주지 않는다면 오빤 한생명에 대한 도의적 살인미수혐의를
벗어날수 없을겁니다.
오늘 간호사인 제 친구를 만났습니다 어렵게 그친구를 통해 극소마취제를 얻었습니다.
그건 제가 바람이 되려할때 중요한 역할을 하리라 생각됩니다.
하지만 지금 당장 그것을 사용하진 않을겁니다.
최소한 오빠의 해명을 들은후 그것을 사용해야 할지 어쩔지를 결정할겁니다
전 아직 이세상에서 하나 오빠에게만은 진실이 통하리라 믿고싶습니다.
이 편지가 오빠손에 꼭 전달되기를 기도 할겁니다.
제 마음이 오빠의 높고 두꺼운 벽을 허물수 있도록 기도할겁니다.
제가 어떤 한사람을 이렇게까지 그리워 할줄은 생각조차 하지 못한 일입니다.
제 마음속엔 늘 인간에 대한 불신이 있었습니다
하지만 그 불신을 깨준 유일한 분께
저의 진실한 마음이 받아들여지길 원하며.

외국생활에 오빠의 편지 한장은 제가 씩씩하게 살아 가는데
큰 도움이 될것이라 생각했습니다.
지금 누군가를 사랑하고 있다면 전 떠나겠습니다
하지만 그것이 아니라면 전 꼭 해명을 들어야 겠습니다
창공을 향해 날아오르려던 새가 추락하지 않도록 ....

12日 1日 : British airline 031 편 서울출발.

'93 11 21

2월에 떠난 별들

2월의 마지막 주가 흘러갑니다
맡은 일은 진전이 없고
내 마음은 갈 길을 잃고

어느 날부터 올해 2월은
유난히 길고도
슬프기 그지없이 느껴집니다

우연히 알게 되었습니다
내가 사랑했던 별들이 한꺼번에
사라진 그때가 바로 2월이란 걸

사춘기 소년 귓가에 울리던
'소녀와 가로등'의 주인공
유난히 단발이 어울렸던 아이
어느 날 아침 비운의 생을
마감하고 말았습니다
내 첫사랑과 너무나 닮았던 그녀
차마 보낼 수 없었습니다

만인의 연인이자 내 30대의 로망
내 맘속의 영원한 프리마돈나
불새의 헤로인 이은주

너무나도 아름다웠던
20대의 짧은 삶
그렇게 그녀는 떠나갔습니다

속삭이듯 다가오는 가사와
영혼을 달래는 은율로
나를 울렸던
이문세를 우리에게 선물했던
감성 작곡가 이영훈
그를 잊을 수 없습니다

진한 경상도 사투리 소년에게
도도한 도시 소녀의 까칠함과
늘 있기를 소원했던 누나의 포근함을
동시에 주었던 그녀
내 짝꿍 ....
그녀를 마지막 본 날도
2월의 어느 스산한 밤이었습니다

이제 잔인한 2월을 보내며
그들을 놓아주려 합니다
천상에서 편히 쉬라고
더 행복해지라고 ....

저 하늘 은하수

나는 살고 싶다
주말이면
바람의 방랑자처럼
그렇게 혼자서

청바지들 속에
화려한 블랙진을 입고
연극무대 맨 끝자리에서

때로는
연인들의 호숫가에서
그들은 노를 젓고
난 그 위를 걷는다

자정이 가까와 올 무렵
나는 시인으로 살고 싶다

한 줌 재로 사라질
의미 없는 언어의 실타래를
예쁘게 엮으며 살고 싶다

마침표도 없이
그렇게 ....

* 대학 시절 어느 날에

너를 보내며

고향길 이어가는 침목을 벗 삼아
나그네 배웅하는 저 잡목한초는
양지에 고개 든 채 말이 없구나

가을이슬 찬바람에 손 흔들고
여름 소낙비에 고개 숙여
제 사연 전하건만
슬픈 비에라야 가슴 젖는
내 마음 알쏜가

푸념도 지칠 무렵
지평선 너머로
나를 닮은 초가 하나
허공을 향해 가는데
창밖 가지에 걸린 저 봉우리는
무슨 사연 있관데
길 떠나는 나그네의
발걸음을 재촉하는가

이산 저산 뒷걸음치며
대답이 없건만
그 모습 정겨우니
권주가 대신
시 한 수로 벗 삼으며
내 오늘 낙향하는 한량 되리라

고독하다는 것은
아직도 나에게 소망이 남아 있다는 거다.
소망이 남아 있다는 것은
아직도 나에게 삶이 남아 있다는 거다.
삶이 남아있다는 것은
아직도 나에게 그리움이 남아 있다는 거다
그리움이 남아 있다는 것은
보이지 않는 곳에
아직도 너를 가지고 있다는 거다.

이렇게 저렇게 생각을 해 보아도
어린 시절의 마당보다 좁은
이 세상
인간의 자리
부질없는 자리
가리울 곳 없는
회오리 들판

아, 고독하다는 것은
아직도 나에게 소망이 남아 있다는 거요.
소망이 남아 있다는 것은
아직도 나에게 삶이 남아 있다는 거요.
아직도 나에게 그리움이 남아 있다는 거요
그리움이 남아 있다는 것은
보이지 않는 곳에
아직도 너를 가지고 있다는 거다.

정안에게.

오늘 이 시간 무척이나 밝은 햇살이 비치고 있고, 햇살과 함께
희수는 점점 더 검게 그을려만 가고 있으니…
그간 정안이의 여러통의 글을 받고 여러번 읽고 또 읽고 읽고 읽고
읽고 읽고 또 읽고 이젠. 희수도 차분히 가라 앉은 기분으로
지금 이글을 쓰고 있어.

생활 곳곳에서 서울과 다른 이질감과 어설픈 학형들과 선배들 관계
그리고 무엇을 위해 희수는 이곳까지 왔을까?
적당히 자기의 생각을 숨기며 웃음짓는 나에 대한 증오심.
그러던 중 받은 정안의 글들은 오히려 나를 더 초라하게 했고 그러한
시간이 지남에 따라 더 외로왔지만 웃어야 하는 나.

나는 정말 나를 이해해달라고 부탁하는 거야.
전 편지를 띄운 후 나도 힘들고 기다렸단다.
그리고 보고 싶기도 하고.
나를 기억해주면서 괴로와 한 사람 나에게도 소중하단 말이야.

안녕.
쓸수록 역부족인 것같아. 잘 있어.
무지몽매한 희수에게 관대함을 기대하면서…

자신이 조금은
컸다고 착각하며
친구 희수가

배반의 장미

누군가 남겨 놓은
장미꽃 한 송이
그는 무슨 사연이 있어
이 어여쁜 한 송이
주인 없는 빈자리에 남겨놓았나

그녀가 오지 않은 걸까
그녀가 원치 않았던 걸까
그냥 수줍어 고백 못 한 걸까

아무 상관 없는 내가
그를 대신해 뜨거운 눈물을 흘린다
쓸쓸히 떠났을 그 남자를 위해
따듯한 위로의 말을 전한다

너무 슬퍼하지 마
별일 아니야

넌 이걸로 충분히
멋진 놈이니까 …….

늦은 밤 커피 한잔

오늘 하루도 수고했다며
나를 격려하곤
우두커니 밤하늘을 보았네

내 손위의 커피잔이
빛바랜 책받침 속으로 들어가
저 오솔길의 문을 열고
시간 속으로 날 이끄네

모락모락 오르는
향기로 다독이며
나도 모르는 길을 재촉하네

이제 곧 자야 할 시간인데
나는 또 어디로
정처없는 방황을
시작해야 할까

우 편 엽 서

120-749

서울 서대문구 신촌동 134 연세대학교
경제학과 1 박정만

새로운 달의 시작을 기념하는 뜻으로 이 엽서를
보냅니다. 진지한 소국을 가을까지 숨겨두기에 너무
아까울만큼 아름답기에 이르다는 생각이 듦에도 불구하고
6월의 시작과

朴商玉 유작전

더불어 보여주고

'87.11.21-12.20

싶군요. 소국을 그린 이는 갔지만 그의 그림만은 지금도
남아 우리에게 잔잔한 감흥을 주고 있습니다.
비록 요란하거나 화려하지는 않아도 끊임없이 전해지는
은은한 멋을 지닌사람이 되시길 바라겠어요.
어디에 있던지 항상 마음으로나마 따뜻한 사랑과 우정을
나눌수 있는 진정한 친구를 갖게 되시길…

이미 5월은 갔지만 지금 우리에게 주어진
6월을 맞아 더욱 푸르른 생활 이끌어나가세요.

湖巖갤러리
서울特別市 中區 巡和洞 7

김 수 현

「소국」 1966

슬프지 않는 밤

때론 삶이 고단해서가 아니라
마냥 슬프고파 술을 찾는다
어딘지 모를 슬픔의
발원지를 향해
흔한 지도 하나없이 고독을 시작한다

이웃 탁자 객들도 떠나고
술잔은 비어가는데
옛 그리움은 낯설기만 하고
창밖엔 비도 오지 않는다

술을 조금 마셔서일까
마음이 메말라서일까
슬픈 에너지가 고갈되어서일까

먼 훗날 나의 빛바랜 사진을 보고
가슴 아픈 이별 노래를 듣고도
슬프지 않은 날들이 찾아올까

어느덧 새벽 동은 터오는데
나의 취하지 않는 이 밤은
더욱 깊어만 간다

사랑한다 말할까

사랑한다고 말하는 이유
이미 서로 좋은 걸 아는데
굳이 말로 하는 건 왜일까

고백은 사랑의 부조화
두려움의 표현이자 모험이다
상대에게 모든 것을 맡기는
절대 충성의 맹세
그의 마음 알 수 없음에 대한
불안감의 항변이다

상대에게는 원치 않는 결단을
내려야 하는 고뇌의 순간
갓 돋아난 새순에 봉우리를 맺어달라는
마술과도 같은 바램이다

사랑은 묻고 확인하는 게 아니라
그냥 느껴지고 자연히 알게 되는 것
그저 말없이 옆에 있어도
눈빛 하나 작은 손짓으로 전해지는 것

어느 날 마냥 고백하고 싶어진다면
좀 더 기다려보는 건 어떨까
널 좋아하게 될 그에게도
사랑이 싹틀 시간이 필요할 테니

남자라는 이유로

남자로 산다는 건
참 어려운 일인 것 같아
맨날 술로 달래니
잘 모를 뿐이지

자라길 거부하는 피터팬처럼
어리고 여린 순수를 간직하고 싶었지만
세상을 못 견딜까 봐
내 영혼이 생채기 날까 봐
소년을 버리고 남자를 택할 수밖에 없었지
그건 거부할 수 없는 운명이라 생각했지

전쟁의 포화 속에서도
한 떨기 꽃이 피듯이
그래도 누군가를 그리고
사랑을 하고 때론 슬픈 영화를 보고
진부한 상념에도 빠졌지

산다는 게 나이를 먹는다는 게
그게 참 별것 아닌데
난 아직도 매일 두렵고 고민돼

언제까지 시를 쓰고 싶은
마음이 남아있을지
나도 저 달관한 아저씨들처럼
변해가는 건 아닐지

나의 밤은 이렇게 차갑게 식어가는데
난 책상 위에 작은 촛불 하나 밝히고
또다시 긴 추억여행을 시작해

내일이면 인생이 끝날 듯이

내 감정의 마지막 조각이
재가 되어 사라질 듯이

내 얘길 들어줄 네가
새벽이면 영원히 떠나갈듯이 ....

여우비

맑던 하늘에
진눈깨비 한번 휘젓고 난 후

내 맘에도
작은 뭉게구름 꽃 하나 피었다

조심 조심
두 손으로 받쳐보았지만

휘~ 잡을 수 없을 만큼 높이 올라가
내 속을 까맣게 태우더니

이네 작은 이슬비 되어
내 여린 가슴 적실줄이야 .....

아침 이슬 머금은 새벽 공기가
이젠 쌀쌀하다고 느껴진다.
벌써 가을인가 보다.

항상 진취적인 삶을 소유할 수
있기를 …

내일쯤 비가 오려는지 오늘 날씨가
계속 흐리다.

안녕.

김수현

못다핀 사랑

이삿짐을 정리하다
우연히 발견한 동생의 연애편지들
마음 숨기며 전하려 했던 고백
허락 없이 차출된 시인과 언어들

새로운 출발을 앞두고
모두 버리려 했던 애틋한 사연들
차마 나는 버릴 수 없었다

가장 아름다운 시절
그녀들이 남긴 최고의 작품들
여전히 나를 설레게 하는 노래들
비록 그녀들 떠났어도 어이 외면할까

이어진 인연은 감사한 일이나
못 이룬 사연이 버림받을 일은 아니다
못다 핀 한 송이 외침이 더 강렬하듯
그 시절 이야기는 여전히 살아 숨 쉰다

어느 수채화

비오는 날 유리창에 맺는 한 폭의 수채화

선명하게 피어나는 고향의 산마을

나무잎새 날린 은빛 물방울 속으로

흐르는 시냇물 소리

물결 따라 풀잎 위에 무지개 뜬다.

그 우으로 흘러오는 영원이란 음악

보이지 않는 것들을 잡히지 않는 것들을

속삭이는 빗소리

내가 살아온 날 남은 날을 헤아려 준다.

창은 맑아서 그 날을 그린다.

— 詩 이해인 —

상처 I

당신의 눈물 닦아주지 않을게요
그 아픔 다 모른 척 할게요
옆에 있어 주지도 않을게요

당장 달려가 안아주고 싶지만
그냥 먼발치에서 지켜만 볼게요
텅 빈 맘속 깊게 새겨진 상처
덧나게 하지 않을게요

당신에게도 시간이 필요할 테죠
쌓아온 시간과의 이별
지나간 추억과의 작별

그 사람 멀리멀리 보내고
새마음 돋아나길 기다릴게요

그 멍울 아물 무렵
조용히 다가가
조그만 두 손 꼭 안아줄게요

BK를 그리며

만나서 할 말은
알 수 없어도

막연히 사라져가는
그 하얀 얼굴이
보고 싶다……

11월 어느날

name
telephone 편지가 이대로 잘못왔습니다.
address 미안한 일이지만 편지 읽었음.

name 둘이서 푸근하고 행복한 겨울을
telephone 보내길 바랍니다.
address

덕성여대 심리학과 1학년.
이 보경

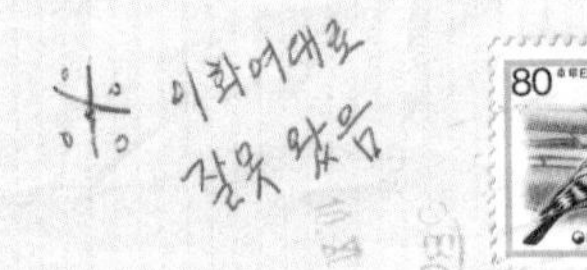

서울시 서대문구 신촌동 134번지 연세대학교.
경제학과 1학년
박 정만

120-749

"둘이서 푸근하고 행복한
겨울을 보내길 바랍니다."

성만에게.

울컥 눈물이라도 나올듯한 날에는 길을 걷고싶기도 하죠.
대상 없는 편지를 무턱대고 써보기도 하고…

지금은 분명 겨울날씨이지만 난 가을이라고 부르고 싶어요.
아직 가을을 떠나기엔 남은 여운이 많은 까닭이지요.

학보는 잘 받았어요.
이제서야 받았다는 말을 전하게 돼서 좀 미안하기도, 어색하기도 하지만
서로 부담없이 생각했으면 좋겠네요.
학교생활은 어때요?
중간고사는 잘 봤나요?
저희 학교는 학내문제로 시험을 보지 않았어요. 그동안 등교거부까지 하는
심각한 상황이었는데 다행히 좋은 쪽으로 해결이 됐어요.
다시 활기찬 생활을 해야지!

가을은 가을이라는 이름만 들어도 우울한 감정이 스며오지만
그것때문에 '나'를 잃는 일은 없어야겠지요.
어쩌면 세련되게 고독을 감당할 수 없는 지금이기에
더욱 아름다운지도 몰라요.

존대어는 쓰기 싫지만 처음이니까
안녕~
감기 조심해요!

1988. 11. 10.

[signature]

3부

하늘과 바다가 인생을 아느냐고 물었습니다
하늘은 여전히 푸르고
바다는 여전히 시리다고 답했습니다

The 불만

척박한 저 먼 곳에
버리고 나누고 주면서도
행복한 사람들이 많은데

이 좋은 시절에
모든 걸 다 가지려다
넉넉함에 만족지 못하니

최악의 순간에
차선만이라도
큰 행복이라 믿자

인생 I

세상 흔한 것에는
감동이 없다

사랑이 고귀한 건
이내 사라지기 때문이고
정의가 예찬받는 것은
가끔씩 승리하기 때문이다

평화를 위해 기도하는 건
그저 주어지지 않기 때문이며
그래도 내 삶이 소중한 것은
오직 하나밖에 없기 때문이다

내가 사랑받지 못하고
불의에 패배당하고
갈등에 휩싸이더라도
슬퍼하거나 노여워 말자

그건 그저 흔한 일이니 .....

어른이니까

힘들 때 참아야 한다
욱할 때 버텨야 한다

다 그러려 수양하고
책 읽고 참선 한다

좋을 땐 참을 일이 없다
슬플 땐 다툴 힘도 없다

나쁠 때 견뎌야 한다
억울할 때 삭혀야 한다

네가 못나서가 아니다
더 훌륭하기 때문이다

네가 비굴해서가 아니다
더 성숙하기 때문이다

정만에게.

100명중에 끼어 있으면서 몰랐다니?

있을 수 있는 일이지 뭐. 좁고도 넓은 세상이구나.

학교 생활은 재미있지? 오늘 누이 학교에 일이 있어서 갔었지.

발 아파서 혼났어. 웬 학교가 그리 넓으냐?

우리학교도 반만큼만 컸으면. 얼마나 좋을끼고.

나도 학원 다닐때 당시는 많이 생각해.

갑갑하고 불안정한 상태였지만 그래도 재미있었지?

난 작년보다 생기가 생겼어. 말도 많고 웃음도 많고 돈도 꽤 쓰고

걱정도 많이 하고 사람도 많이 만나고 본 것도 많고.

내 변한 모습이야. 작년엔 이런 것들을 완전히 절제했으므로

죽는 줄 알았어. 고3까지 계속되어 오던 생활상이었는데.

반창회(?) 언제 할까?

정아는 한 번도 안 나왔잖아. 나도 이젠 나갈거야.

전엔 나갈 준비가 안됐었거든.

어쨌든 그 장소에서 좋게 만나게 되어 기뻤고.

참한 여학생을 발견하도록.

모월. 모일. 모시.

상처 II

너의 충고 한마디
내 이성이 끄덕이기도 전에
가슴이 먼저 상처받고 토라진다

차갑게 베인 자국은 쉬낫지 않고
딱딱한 껍질속에 한참을 갇힌 후에야
비로소 세상 낮빛을 맞이한다

오랜 시간 참 많이 아팠다
늘 자책하며 바꾸려 했지만
이제 치유하는게 너무 버겁다

내 나이 무뎌질 때도 되었건만
속살은 돋아날 생각이 없고
여기저기 검버섯 같은 딱지만 늘어간다

DNA 프리미엄

남들에게는 너무 당연할 일
넘들에게는 너무 편안한 일

내게는 너무나 힘든 일
내게만 주어진 평생의 과제

나는 왜 이런 업보를 가진 걸까
나는 왜 남들 모를 시름을 이고질까

그래도 피할 수 없는 나의 삶
누구도 대신할 수 없는 응보

나는 숨 쉬어야 하는 이유로
당장 포기할 수 없는 나약함으로

또다시 편지를 쓰고 시를 지으며
뻔한 답도 없는 해답을 찾아
험한 가시밭길을 홀로 맞는다

인생 II

인생이란
약간의 오해
조금의 불편과 어색함

이해도 양보도 없이
늘 그렇게 주위를 서성이는 것
노력해도 피할 수 없는 것

억울하게 상처받고
믿음으로 아파하며
희망으로 괴로워하는 것

아픈 오늘 견딜 수 있을 만큼
다른 내일 기다릴 수 있을 만큼

인생은 늘 그런 것
사람이 다 그렇듯
별것 없는 이 세상에
너무 많은 것을 바라며
살아가는 것

정만,

몇 시간 후면 만나겠지만 이 영아(?) 가 하두 신경질이 나서 편지쓴다. 글쎄 오늘 2,3 교시 밖에 수업이 없는데 딱 힘들게 도착하고 보니깐 휴강이래. 그런데 더 억울한 것은 새벽 4시까지 쓴 Report 를 제출못했다는 이 괴로운 심정. 정말 짜증나. 오늘 날씨가 너무 좋은거 있지? 너가 땅만 보고 다니던 사이 주위에 많은 것들이 변했더라구. 꽃이 피니 비록 좁은 학교지만 좀 좋아 보인다. 그나저나 이따가 범준이 한테 뭐라고 위로(?) 해주지?

4月 6日

- 영미 -

P.S. 나랑 지원이는 4시에 만나서 놀꺼야. 부럽지?

숙명

사람에겐 저마다
주어진 숙제가 있다
오랜 지병처럼 간직할 나만의 숙명

어디에도 답이 없고
누구도 도와줄 수 없는
어둠속 빛으로 얽혀진 나만의 미로

결코 떨쳐낼 수 없음에
언제까지 홀로 맞서며
떠안고 가야 할 나만의 운명

병이 아니라 고칠 수 없고
문제가 아니라 풀 수 없는 걸까
이기려 할수록 고통은 커져만 가고
답을 찾으려 하면 더 엉클어져 버린다

사춘기 열병처럼 찾아와
이내 사라질 줄 알았건만
여전히 내 몸 깊숙이 남아
나를 흔들어대곤 한다

폭풍우처럼 나를 휘몰아칠 때면
그저 담담히 받아들이고
잠잠해질 때까지 견디어야 한다
그놈을 이길 수는 없지만
마치 아이 다루듯 다독이며
어른스럽게 기다리는 수밖에 없다

긴 어둠 속 홀로 싸우며 버텨낸 시간들
수없는 고뇌 끝 찰라의 깨달음은
이내 거품으로 사라져 버리고
그놈은 여전히 내 곁을 맴돌지만
이제는 두렵지 않다

황혼빛 노을 무렵
그 녀석 다시 찾아오면
내 오랜 친구를 맞듯
크게 한번 안아주리라

편견

싫은 사람 나쁜 사람
잘 구분해야 한다
싫은 사람이 죄인은 아냐

나와는 뜻이 다르다고 해서
날 힘들게 한다고 해서
잘못된 건 아냐

근데 다 알면서도
받아들이는 게
왜 이리도 힘든 걸까

미워하는 마음이 들고
다시 마주치기 싫어질 때

내 가슴에
다시 한번 묻는다

애꿎은 사람 바보로
만드는 건 아닌지
그 사람 그대로 봐주고 있는 건지

혹시 내가
나를 속이는 건 아닌지

심리학개론

세상에
기쁜 일 참 많은데
기분 나쁜 일들만 신경 쓰여

주변에
좋은 사람들 더 많은데
불편한 한둘에 맘이 흔들려

짧은 인생살이
웃고 즐길 일도 많은데
늘 노심초사하며 살아가네

백지 사랑 벌점 인생

주관식 사랑문제를 받아 들고
뻔한 사랑을 하다
백지 사랑만 제출했다

인생의 시험장을 앞에 두고
무면허 청춘을 질주하다
세월의 경고만 받았다

이제 사랑도 겪고
인생도 알만한데
응시기한이 지나버렸다

SOOKMYOUNG WOMEN'S UNIVERSITY
53-12, CHUNGPA-DONG, YONGSAN-GU, SEOUL, KOREA

안녕 정만? 나두 안녕.

요즘 잘 지내니? 혹
가을 타고 있는 것 아니야?
방학때 적막하던 학교
분위기와 달리 요즘은
너무 활기차고 좋아.
오늘은 10시에 일어나서
11시에 학교 왔음. 여자가
나이를 먹으면서 왜 이리
게을러지냐? 오늘 내
친구 한명은 교실을 잘못
들어가서 2시간 동안
「철학」 듣고 나오더라. 교수
님이 들어오니 창피해서
못 나오겠더라. 결국 전공
과목은 못 듣고….
그럼, 밥이 보약이니 밥
많이 먹구~.

9.12

영미

P.S. 학보 자~알 받았음.
남의 학보 보는 사람은 나쁜 어린이 이지요? 나 밥 사줘.

모순

위선과 가식이 있어
다행이다
그래서 세상이 돌아간다

너의 본성 그 파괴적 충동
지켜보는 눈이
막아주고 다독인다

착한 척 선한 척 너의 허울
그 위선으로 평화가 지켜진다
조그마한 상식이 잠시 숨을 쉰다

인생이 선거라면

내 주위에
여러 사람이 있다

내가 실수해도
다독여줄 사람

내가 아무리 잘해도
헐뜯을 사람

내가 뭘 해도
관심 없는 사람

내가 가만히 있어도
뭘 했다고 할 사람

내가 출마를 하면
나는 몇 표나 받을까

JOMA에서 커피한잔

그림 한편에 5초
시 한 수에 30초
소설 한 편에 꼬박 하루를 보낸다

내 인생사 집필기간 이제 50년
허망과 질곡의 거친 주마등사
누가 찰라의 눈길을 허락할까

그림 한편에 혼을 담고
시 한 수에 불면의 인고를 담는다
먼지 수북한 고행사 50년에는
과연 무엇이 담겼을까

이제 자정이 지나면
전편을 돌아볼 겨를도 없이
속절없는 인생 2막을
다시 고쳐 써야 한다

나는 누구인가

상쾌한 주말 아침
지친 영혼을 위로하려
거실로 나와 FM 볼륨을 높인다

처진 어깨도 달래려
폭포수 같은 샤워기를 지나
욕조 속에 한참 몸을 맡긴다

욕실 문을 나서자
거친 음악 소리가 귀를 때린다

한바탕 소리를 질렀다
아니 누가 라디오를 켜놨어?

아빠와 딸

어느 날 딸아이에게 물었다

먼 훗날 아빠가
다른 사람과 영혼이 바뀌어서
동시에 나타난다면
누구를 택할거야?

딸이 주저 없이 말했다
나는 말이야
겉만 아빠인 사람을 택할거야

그래서 왜냐고 물었다

딸이 주저하며 말했다
영혼이 아빠인 사람은
아빠 흉내 내는 가짜 아빠고
겉모습이 아빠인 사람은
치매 걸린 진짜 아빠니까

역시 남자는 외모다!

헌책방

여기저기 예쁜 시집을
마구마구 주문합니다

도도하던 옛시절을 뒤로하고
한없이 겸손해진 몸값에
몸둘 바를 모릅니다

새하얀 타올을 손에 들고
정성껏 주름을 펴고
묶은 때도 벗겨줍니다

표지를 여니 반가운 인사로 웃어줍니다
마치 저에게 전하려 쓴 것처럼요
멋지게 빛바랜 낙엽
사라진 서점의 책갈피
마음 한켠 남겨둔 여백의 글씨들
그리고 컬러풀한 엽서까지
보물찾기하듯 선물이 쏟아집니다

그들은 이 기쁨을 주려고
수십 년이나 저를 기다렸나 봅니다
이제라도 만나서 정말 다행입니다

120-749

서울 연세대학교

경제학과 1년

박 정만 두손안에

묘령의 여인이

정만이 보거라.

놀랬지? 숙대에서 학보가 와서 혹시나의 기대와 의문을 가졌겠지만 일순간에 모든게 와르르 무너지고 있겠지? 미안하다. 나라서 예전에 여대학보가 생기면 보내준다고 했으므로 지금 약속을 이행하는 중이야. 그래도 기쁘지?

어쩌다가 그만 내가 딴 일에 정신이 팔려서 영미 얼굴도 보지 못하고 섭섭하게 떠나보냈어. 꽤나 서운하게 여길텐데. 정말 미안한 느낌이 들어서 방금 사죄의 편지를 써서 고이 접어 놓았어. 그래도 너희들이라도 만나서 얘기를 했으니 다행이다. 영미도 집으로 돌아갔으니 조용하고 평범한 정상의 생활을 하겠지? 나도 그럴려고 애쓰고 있는 중이니라. 근데 왜이렇게 할일이 많고 숙제가 많니? 지겨워 죽겠다. 내가 보고서 부탁하면 정성스럽게 잘해주길 바란다. 원래 선배것도 해주고 그러는거야.

그나저나 응용통계학과에 아는 사람 없냐? 사회통계학때문에 머리가 터질것같애. 아직 시작은 안했지만 공부할것만 생각해도 벌써부터 골이 지끈 지끈아프고 .....

인제 시원한 가을이니 낮잠자기 딱좋은데 그럴수가 없으니, 너라도 즐거라. 또한 식욕의 계절이라 느는건 허리칫수밖에 없으니 이또한 고민이 되지 않겠니? 또 그고민을 잊기위해 수다떨면서 군것질하고. 재미있는 생활이지? (너는 이 선배의 전철을 밟지 않도록) 이제 보니까 무지무지 많이 썼다. 아니 찍었다. 그만 써야지. 손가락이 아퍼. 너 답장 안보내면 신변에 그다지 좋지못한 일이 생길테니 그런줄알아라. 내 학보는 너 편지 세통의 값어치가 있다는 사실도 명심하도록. 안녕.....

1988 . 9 . 19

정 지원 씀.

추억 사진관

늘상 다니는 골목길에
갑자기 작은 불도저 하나가
트럭에서 내려왔다

이른 아침 거리의 향기를
책임졌던 예쁜 꽃집을 향해
무섭게 쳐들어가고 있었다

시절을 따라
주변의 건물도 사람들도
바뀌게 마련이지만
늘 사라져서 아쉬운 것들이 있다

대학시절 약속 어긋난 연인들이
메모를 꽂아 두던
독다방 앞 낡은 게시판

어린시절 동네 아낙들 모여
물을 긷고 빨래하던
마을 우물터

그리고 작은 꼬맹이 잠들 때
여린 빛으로 어루만져주던
초롱불 아늑한 할머니 초가집

변해가는 세월속에
추억과 나를 맺어주던
그 시절의 그림 동화들

이제 그들은 사라졌지만
고맙게도 내 마음속에
빛바랜 멋진 사진
한 장을 남겼다 ....

내리사랑

딸래미 성적이 좋지 않을 때
아픈 아이의 아비가 되어본다
그저 이 아이가 건강만 하기를

우리 딸 대들 때
말 못하는 아이의 애미가 되어본다
한 번만이라도 엄마하고 안기기를

우리 아이 밤새 게임만 할 때
노인정에 바둑두는 할애비가 되어본다
아직도 뜨거운 열정이 남아있기를

시간의 반란

발뒤꿈치에
제법 두툼한 각질이 생겼다
살면서 얼마나 걸었다고
벌써 딱딱해지는가

귓가에 하얀 깃털이 하나둘 는다
살면서 얼마나 고뇌했다고
벌써 현자 흉내를 내는가

계절은 돌고 돌아
다시 오지만
늘어가는 세월의 흔적들은
어이할꼬

나는 여전히 청춘인데
내 몸의 자욱들은 이제 아니라 한다

비오는 성탄절

까라멜마끼아또 한잔으로
나른한 오후를 보내고 난 후

항아리 속 깊이 담긴 이웃 마을 술이
몇 순배나 주위를 순례한 뒤에야
얼그레이 향기에 취해 나만의
밤을 맞이한다

날은 슬퍼 12월 밤에도
철없는 비가 주적주적 내리는데
내 마음엔 어린 시절 앞뜰에
엄마 같은 함박눈이 펑펑 내린다

비스듬한 가로등불 아래
낡은 리어커속 군고구마 내음이
잠시 마음을 흔들더니

팔색 전구에 둘러싸인
유쾌한 산타와 루돌프가
낯선 베이커리 유리문을 뚫고
내게로 질주한다

예기치 않게 불쑥 다가온
나의 성탄 맞이는
잠시의 추억 놀이에서 벗어나
사랑스런 우리 딸이 좋아하는
달빛 크림케익으로 긴 하루를
올 한해를 마감한다~~

말말말

살면서 참 말 많이하고 살았다
이런 말 저런 말
있는 말 없는 말
하고픈 말 맘에도 없는 말
뭐라도 해야해서 하는 말
어색하기 싫어서 던지는 말

살면서 참 말못하고 살았다
보고싶지만 두려웠던 침묵
마음약해 닫아버린 진실
상처줄까 굳어버린 독백
만남은 설레지만
둘사이 너무 먼 빈공간

살면서 아무 말없어도 좋았다
옆에 있으면 고개가 절로 눕고
앞에 있으면 그냥 보아도 좋다
너만 있으면 아무 말이 없어도
다 말이 된다

SOOKMYOUNG WOMEN'S UNIVERSITY

53-12 CHOUNGPA-DONG, YONGSAN-GU, SEOUL, KOREA

To: 정민

호호, 낄낄. 드디어 이 누나도 「학보」라는걸
보내게 되었다. 안녕? 요즘 어떻게 지내?
넌 내가 요즘 「죽었는지 살았는지」 궁금하지도
않니? 너 자꾸 그러면 혼나. 요즘 우리학교는
「수업거부」로 우왕좌왕 하고 있어. 정말 뭐가
어떻게 되는지 모르겠다. 오늘은 「신입생 환영회」
했는데 참신한 애들이 많더라. 좌우간 그 차까지
따라 갔다가 체력의 한계를 느끼고 말았다우.
너물 내가 챙겨야지…. 이젠 3月도 거의 지나가고
있는데 계획 세운대로 잘 되어 가고 있어? 즐겁고,
보람된 나날이 되길 바랄께. 경호 한테두 안부
전해라.

3月 20日

영미

P.S. 학보 보내면 안 잡아 먹지~.

낯선 기다림

밤새 술에 한껏 센치해진 마음에
막차에 오르자마자
불쑥 잊었던 사람들에게
카톡과 문자를 돌려댄다

늦은 밤 대답없는 것이
당연하겠지만
왠지모를 서러움이 밀려온다

울컥한 맘에 창밖을 보니
수많은 외사랑으로 붉게 물들였던
한여름 불꽃처럼 뜨거웠던
그 시절이 스치운다

참 많은 편지를 썼었다
밤새 쓰고 지우기를 반복하며
하얗게 지새우던 불면의 나날들
기약없는 답장을 기다리며
가슴조렸던 애틋한 시간들

그 때는 그토록 긴 밤들을
어떻게 견디었을까?

Date . .

정만이한테 보내는 편지 마지막해.

너 생일날 card를 못줘서 할수없이 편지를 쓴다.

장미꽃 너무너무 고맙다. 내 방벽에 꽁꽁묶어서 거꾸로 매달았어. (너라고생각하면서)

잘 말려두었다가 혹시라도 너가 우리집에 놀러올일이 있으면 보여주마.

영미말에 의하면 나랑 헤어진뒤 범준이 만났다면서?

범준이 마누라, 선교이 마누라들 다 잘 있다냐?

그 애들 사생활은 나의 이 좋은 두뇌로도 잘 정리가 안되.

나중에 만나면 소개시켜달라고 졸라야겠어. 왜냐구? 할일없으니까.

근데 너 친구들은 그렇게도 다들 능력있고 수완이 좋아서 사생활이 문란한데

너는 뭐하냐? 좀 배워. 배워서 남주냐? 다 너잘되라고 하는 소리야.

이제 영미, 너, 나다 20세가 되었으니까, 이제 좀 수준을 높여야

되겠어. 예를 들면 이제부터는 소개팅, 미팅같은거 하지말고 "선"을 봐야야.

그리고 조용한 카페보다는 닭장.(디)에 가서 놀고....

완전히 고지웁더아지 않니?

아차차, 너 숙대축제에 꼭 가야해. 너가 이럴때 아니면 언제 여대축제에

그것도 여자를 두명씩이나 데리고 가겠니? 사람은 살아가면서 3번의 기회가

온데. 아마 이것이 그중하나일꺼다.

(여기까지 쓰는데도 상당히 힘들다. 이깨가 결리고, 쑤시고, 통증이온다)

이제 그만 쓸까나, 제일 중요한 얘기를 빼먹었다. 너 답장 안썼다가는

학교다니기가 쪼끔 힘들꺼다. 너의 남은 기나긴 인생을 편히 보내고 싶으면

지금당장써서 부치도록. 단 시는 사양, 양은 min. 3장. 알겠지?

잘 있어. 1989. 5. 15.

철 뚝서니없는 후배에게 존경스러운 선배

아무래도 잘못쓴거 같아.

정자원이 쓴 편지

연세대학교

4부

차가운 바람의 열정을 보았습니다

이제 조금 따뜻해져도 좋겠습니다

감고당 별곡

새벽이면 숨 가쁘게 오르던
감고당 돌담길에
주말이면 어김없이 사람들로 채워진다
수상한 그녀들의 공예품이
하나둘 자리를 잡고 나면
떠돌이 악사의 핸드럼 연주가 거리를 채우고
어설픈 마술사 청년이 행인들을 유혹한다

형형색색 한복으로 갈아입은 아씨들이
거리의 주인공을 자처하며
현란한 발걸음을 이어갈 때
유모차의 아이도 연신 눈을 굴리며
낯선 세상을 맞이한다

그들이 맞는 이 거리는 늘 아름다울 것이다

이른 아침 내가 맞는 이 거리는
밤새 안개로 눅눅해진 돌밭길에
새벽잠 잃은 노인네의 거친 숨소리와
누군가 남겨놓은 커피잔만 덩그러니 놓인
그저 빨리 지나야 하는
출근길에 지나지 않았다

비록 덕수궁 돌담길 같은 사연이야
있을까만은
영화 속 이별 장면이나 떠오를 법한
이 공간이
채워지며 제 모습을 달리한다

날마다
비워지고 채워지며
감고당길은
내 인생을 참 많이 닮았다

떠나는 박참에게

하루를 사이로
멀고도 낯선 라오 땅을 밟고
한달을 사이로
분홍빛 펜트하우스를 이어 받았는데

이제 일년을 두 번 보내고 나니
어느덧 헤어질 시간이군요

내일 지나고 일백일쯤 더 지나면
이곳도 서서히 잊혀질테지만

10년이 지나고 어느 먼 훗날에
입가에 잔 미소 살포시 번지는
작고 따뜻한 추억으로
남아 있기를 희망합니다

인생 III

인생은 실전 무대
수천대 일의 경쟁을 뚫고
신입 단원으로 캐스팅된다

주인공은 못 하지만
단역 엑스트라를 거쳐
명품 조연까지는 해본다

때로는 관객을 울리고
배꼽을 잡게도 하지만
그는 내가 아니다

지문 속 숨소리 침묵마저
꽉 짜진 시나리오
그까짓 애드립 여지도 없다

연극이 끝난 후
잠시 나로 돌아와
내일 또다시 피에로가 된다

보내는 사람 이주형(이병)

전북 고창군 해리면 해리 우체국 사서함 1호

585-810

받는 사람

서울시 서대문구 신촌 연세대학교 경제학과 2年

박 정만

120-756

안녕이란 말을 쓰면서
잠시 너의 마음 속에
있다가 떠난다...

이병 이주형

바다의 붉은 노을과 별들의 불꽃 축제를 벗삼아 하루
하루를 보낸다.
화려한 생애를 마치는 떨어지는 작은 별똥별이 너에게
안부를 묻는다.
7월이 가고 8월이 인사하며 나의 군생활도 3개월이 되어
가는구나.
순진하고 그러다못해 착한 내 친구 정만.
너의 충청도 사투리가 그립고 작은 두눈의 미소가
그리운 밤이다.
밤은 어둡고 슬퍼도 아침의 태양이 뜬다는 진리
하나로 고독과 슬픔을 즐기는가 보다.
링컨은 나이 40세면 자기 얼굴에 책임을 져야
한다고 말했지만 나의 생각은 20세에 얼굴을
책임질수 있다고 생각한다.
참 군생활은 재미있다
그리고 곧 가을이 온다
가을이 오기전에 낙엽을 위하여 한 사람 찾기를
바란다
안녕이라는 말을 쓰면서 잠시 너의 마음속에
있다가 떠난다

1988 8. 3 p.m 3
Lee

퇴근길

퇴근이 가까워질 무렵이면
또다시 영혼의 이탈이 시작된다

별일도 없는데
부르는 사람도 없는데
어디론가 빨리 가고파진다

별것도 없는데
붙잡는 사람도 없는데
이곳에서 급히 벗어나려 한다

그리고 또 내일 새벽이면
뜀박질하며 이곳으로 밀려든다

예전에는 미처 몰랐다
돌고 도는 인생살이
여기서 다 시작된다는 걸

파생본능

먹고 자고
사랑하는 것

본능이라는 습관들
누가 말려도 하게 되지

꿈을 꾸라는 말
목표를 가지라는 말
야망을 품으라는 말

본능이 없으니
후능을 만드는 것

누가 뭐래도
하고 싶어지게

황혼

정신없이 달려온 늦은 오후
먼발치에 한 남자가 눈에 들어온다
그곳엔 이미 정상에 우뚝 선
노신사 한 명이 고독하게 서 있었다

다행이다
내 정수리엔 아직 머리도 꽤 있고
입가의 주름도 훨씬 덜 패여서

아마도 내가 청춘을 그리듯
그도 내가 부러울 것이다

젊고 아름답다는 것은
미완이자 동경의 대상이다
그들은 현실이 힘들고 벗어나고
싶겠지만 누군가에겐 영원히
가질 수 없는 그리움이다

황혼에 더욱 빛나는
무지갯빛 아련한 추억이다

●2人 동반우대권

●1人입장시
3,000→ **2,000**원에

●2人입장시
6,000→ **4,000**원에

Art Theater 에르나니

문예회관
마로니에공원
혜화동←대학로→종로5가

"안돼 9번!
죽음은 절대 안돼!
투쟁은 삶이라야 해."

고도로 발달된 물질문명 속에서
방황하는 나약한 인간의 정신세계,
그리고 그 고독한 투쟁!

시내버스승차권(10매)

어쩌다 가족

회사는 작명소
내 이름은 영웅인데
니가 뭔데 부장이래

회사는 우리 엄마
가만두면 잘 할텐데
이래 저래 잔소리다

회사는 캠핑장
오순도순 모두 모여
별을 보며 밤을 샌다

회사는 신락원
처음에는 부치는데
늙을수록 힘이 세다

회사는 우리 집
먹여주고 입혀주다
정이 들면 떠나는 곳

히스테리

그게 말이 돼
말 좀 안되면 어때

어제는 그랬는데
오늘은 왜 이러니
위선이라고도 하고
일관성이 없다고도 하겠지

그냥 오늘
내 기분이 좀 그래

늘 똑같을 수 있을까
그렇게 사는 게 옳은 걸까

이유 없이 틀리고 싶고
알면서도 잘못하고 싶다

오늘 내 마음이 그래
그냥 좀 그래 ……

인생 IV

세상에 내 맘처럼
쉬 이뤄지는 게 하나 없다

이제 봄인 줄 알았는데
꽃샘이라며 한겨울보다 더한
옹고집 유세 한참을 떨고 난 후에야
비로소 제 길을 허락하듯이

내 노력은 늘 한계를 시험받고
너무 지치고 다 헤어진 후에라야
소리없이 내게로 다가온다

내가 바라는 일들은
언제나 한발 뒤에서 온다

지루한 겨울 겨우 보내고
한없이 굼뜬 봄
가까스로 찾아오듯이 …..

정만씨.

기쁠때나 슬플 때나 늘 당신 곁에 당신의 마음 속에 숨쉬는 친구가 있나요?

그 것이 바로 친구라는 것일 거예요.

누군가에게 사랑한다는 것을 믿고 있다고 이야기해 줄 수 있는 친구가 있나요?

친구들이란 무엇 때문에 있을까요?

나 자신도 깊이 생각해 보지 못한 질문을 하니 스스로 나를

내 친구 또한 나 자신이 만들어야 하는데.

노력없이 아름다운 친구가 갑자기 내 앞에 나타날 것을 기다리니. 한심한 일이죠.

당신은 정말 진실하고. 사랑하는 친구가 있기를.

그 곳의 생활은 어떻습니까?

봄바람은 따뜻하게 부나요?

춥지는 않은가요? 외롭지는 않은가요?

많은 것을 얻는 군부대 생활이 되길 빕니다.

나는 수미입니다.

글로리아

나는 글 쓰는 사람이야
쉽게 써야 한다고 배웠어
감정을 빼야 한다고 들었어
누구나 알 수 있도록 말야

시인이 되고 싶었어
내 마음이 담긴 잉크
살아서 내게 되묻는 글씨들

솔직하지 못해 누구에게도
속마음을 털어놓지 못하고
누가 볼까 봐
일기도 써본 적이 없었어

말로 하기 어색한 속마음
전하지 못했던 사랑의 말
미완성의 추억과 사연
적당히 숨겨가며 에둘러 표현하는
나만이 아는 비밀의 단어들

나는 글을 쓰는 사람이야
맘에도 없는 글이 활자가 되고
다시 보고서가 되기 위해
오늘도 지우며 고쳐 쓴다

추억을 뒤로 한 채
마음을 멀리 한 채

빛바랜 열정

이 차 보내고
저 차 타면
내 운명이 바뀔까

조금만 더 버티고
고집을 부리면
내 주변이 달라질까

세상 위로
작은 조약돌 하나
힘껏 던졌지만
바람결 이내 잔잔해지고
지평선 아래
흔적도 없이 사라져가네

난 왜 사소함에
사활을 걸었을까
시간에 묻혀
다 사라지고 잊혀질 것을

안녕하시니이까. 박박사

지금은 그러니까 이 글을 쓰고 있는 시간은 어두운 밤이다. 한 낮의 나른함으로부터 벗어나 나만의 안식을 취할 수 있는 평화스런 밤이다. 도시의 가을이라 그런지 귀뚜라미 우는 소리조차 들리지 않는다. 대신 자동차 엔진 소리가 멀리 들려올 뿐이다. 생명의 고귀한 소리 대신에 기계의 굉음뿐인 삭막한 도시에서 마음조차 각박해지기 쉽다. 환경에 지배당하지 말고 정서적인 면을 더욱 갈고 닦아야 할 때인듯하다. — 너무 진부하다 그지 —

지금 한참 올림픽 게임을 보고 있을 지도 모르는 박박사. 요즈음 어떻게 지내고 있소. 대학 생활 두번째 학기 어떤 출발을 했소. 후회없는 생활로 가꾸어 나가는 노력이 우리 모두에게 필요할 것이오.

서신으로라도 연락 좀 해라.

혜수 비슷한 女兒와의 진전
여부를 궁금해하며 쌍팔년추석

나의 아침

이른 새벽에 알람이 울린다
새날 또 하나가 밝았으니
감사함의 기도를 올린다

두 번째 알람이 울린다
어제 일을 마무리해야 하니
눈을 다시 지그시 감는다

세 번째 알람이 울린다
오늘 일도 새로 계획해야 하니
입술을 또 꾹 다물어본다

네 번째 알람이 울린다
아! 정말 마지막이다
이러다 또 늦겠다

나의 하루는 이렇게
초정밀 나노 시간 재기로
알차게 시작된다

Sungshin Womens University

안녕하세요?

답장이라치기에는 너무 너무 늦은 편지고
안부편지라 치자니 조금 용기가 필요했어요.

그렇지만 아직껏 답장을 안했으니까
굉장히 늦게 도착하는 답장이라 생각해줄래요?

2학기 보람있게 지냈어요?
난 그저 그렇게 잘 보낸 것 같지는 않은데……

이번 가을에 많고 좋은 만남을 가졌었다면,
그리고 가치있는 여러 것들을 배웠다면 정말
저보다 훨씬 나은 생활을 한거라서
조금 배가 아프겠는데요.

이제 곧 시험이죠? 우리는 12월 초부터 라던데……

이 편지 어떻게 받아들일지 기대(?) 되는데
그냥 가볍게 받아요.
나도 친구에게 쓰듯이 썼으니까요. (계속 경어를 쓰긴 했지만.)

그럼 이만 줄일께요.

88. 11. 18

윤진

놀부의 시대

흥부의
제비 사연
전설 속에 스러질 때

놀부의
심통 얼굴
시내 돌며 미소 짓네

개천에서
용이 나면
사랑 보화 쌍끌인데

알바천국
요즘 세상
영끌해도 부질없네

회식

번개로 저녁 술자리를 만들고
퇴근 버스를 나눠탄 채
각자 약속된 장소로 달려간다

호기롭게 값비싼 계절안주를 주문하고는
기다렸다는 듯 동서양 화합주로
풍파에 찌든 마음을 정화한다

한잔 술 정의의 잔을 높이 들어
세상 모든 불의를 징벌하고
주변 사람들을
죄다 심판대에 올린다

술향기가 사지를 지배하고 나면
강호 풍류의 논객이 되어
시공을 넘나들며 여인네들의
삶과 인생을 품평하고
어른들의 로맨스로 하루를 마무리한다

to 박 정 만.

시간의 흐름속에 역사의 1page가 넘어가고 새로운 1장이 시작되는구나.

정만이는 올해 어떤 계획을 가지고 있니?

나는 1992년이 무척 의미있고 기억에 남는 나를 위한 한해가 되기를

바라며 꿈꾼다.

무슨 꿈이냐고?

나는 정만이에게 기대와 꿈이 있단다.

우리같이 어떻게 살아야 하는가? 나는 무엇을 위해 사는가?

에 대한 문제를 놓고 진지하게 이야기를 나누고 싶다.

정만이의 도움과 조언을 부탁한다.

임신년 새해에는 더욱 건강하고 정만이의 가정과 이웃에 행복이 가득하고

따뜻한 대화 끊이지 않길 바라오며 지난해에 이루지 못한 일들도

성취하는 뜻 깊은 한해가 되기를 바란다.

미소로 잠을 깨라. / 미소로 받아들여라.

미소로 생각하라 / 미소로 행동하라.

미소로 잠들라 / 그리고 미소로 영업하라.

모임 우리는 미래를 열어가야 할 꿈있는 젊은이들입니다. 앞으로의 人生길에서

묶어져 나가는 삶또한 아름답다고 생각합니다. 서로 사랑합시다.

그대와 슬픔, 괴로움, 눈물, 기쁨, 환희를 나누고 싶습니다.

목적및 동기와 자격

친목도모, 경조사 나누기, 힘을 모아줄수 있는 동반자적 우정의

필요. 운장국교 6-11반

만남 년 2회 (5月, 12月 둘째주 정기모임)

기타 임시로.

* 임원 * 김 지 숙 (회계) 이 진 희 (섭외) 박 선 균 (연구) 박 순 원 (회장)

* 회비 * 정기모임시 2만원 (5천원 쓰고 나머지는 적립금으로 경조사때 쓰여짐.)

주소록 동봉할께. 연락 못했던 친구들한테 편지해.

항상 웃는 너의 모습 … .   안녕.

P.S : 다음모임은 2월 5日 설날 다음날이 될것 같다. (확실하지 않음) 추후에 통지해줄께.

꼭 편지해.

1991. 1. 7 (일)

박 순 원.

술을 마시는 이유

아가들이 만나면 바로 가족
초등학생은 동요 한 곡
중학생은 체육 한 시간
고교생은 잘 모르겠고
대학생이면 생맥주 한잔은 필요하지

아저씨들이 만나면 답이 없다
억지로 친해지려 폭탄주를 돌린다

한잔 술에 대학생이 되어 말을 시작한다
두잔 술에 고교생이 되고 얼굴이 풀린다
세잔 술에 중학생이 되어 마음이 열린다
네잔 술에 초등생이 되어 함께 노래한다
다섯 잔에야 비로소 어깨동무 친구가 된다

그 이상은 위험하다
아가 되어 누가 돌봐줘야 한다

어른이 술 한다고 뭐라 마라
다 살겠다고 죽는 것이니

KOREA UNIVERSITY

1 ANAM-DONG SUNGBUK-KU, SEOUL, KOREA

학보 잘 받았다 내가 5월 초에 전화걸어서

연락하여 만나자 후회없는 캠퍼스 생활

이 되길 빌겠다.

—형일—

PS 민속제 참다운 술맛을 보여주겠다.

유의사항

눈을 뜨면 꼭 해야 하는 일들이 있다
이른 공복에 냉수 한잔과
씻고 발라서 민낯 숨기기
그리고 출정을 알리는
진한 모닝커피 한잔

근데 하지 말아야 할 것들이 훨씬 많다
배고픈데 살찌지 않기
취하는데 헛소리 말기
기분 나빠도 다투지 않기
쓰러지지만 무너지지 말기
일하기 싫지만 사표 꺼내지 않기

내일이면 또 다시
내가 나를 만날 수 있게
여전히 웃으며 날 반길 수 있게

120-749

서울 서대문구 신촌동 134

연세 대학교 경제학과 1학년

박 정민 貴下.

To 정민

어제부터 시험보기 시작해서 오늘 시험이
2개 끝났다. 계량 경영학, 미시경제학
이어서 만만치 않았어. 그리고, 다음주
토요일 (29일) 까지, 아니 어쩌면 11월
초 까지 볼지도 모르겠어. 그래서, 굉장히
바빴는데, 오늘 2개가 끝나 이렇게
짬을 내서 네게 학보를 쓴다.

너도 시험보지. 공부 열심히 해.

참, 그날 너무 고마웠어. 비록 일은
이상하게 됐지만, 계속해서 신경써주는
너의 모습에서, 내가 좋은 친구를 얻었다는
것을 느꼈어. 쓰다 보니까 앞으로 쓸
종이가 모자라서 그만 쓸게.

그럼.

1988. 10. 19.

성욱

월급날

너는 말한다
나의 노력의 대가
대단한 성과의 보답이라고

아니!

나는 답한다
너의 아픔의 위로
지난한 고통의 산물이라고

Holiday Greetings
and Best Wishes for
the New Year

지난해 보살펴 주신
恩惠에 깊이 感謝드리며 새해를 맞이하여
幸運이 함께 하시기를 祈願합니다.

정만에게

89년 새해를 맞이하면서 너와 너의 가정에
사랑과 희망이 가득하기를 바란다. 아울러
경(3)이 와의 만남이 의미있는 만남이 되기를…

— 성엽 —

벙커 사나이

저 멀리 여명이 없어도
가장 먼저 새벽을 여는 곳

한 줄기 햇살이 없어도
스스로 빛을 발하는
지하의 최전선 철책등

계룡대와 광화문
그리고 음지의 사나이들이
헌신과 열정으로 빚어낸
뜨거운 융합의 용광로

한 척 버력 머리 위로
시류의 비바람이 불고
거친 북풍이 휘몰아쳐도
결코 흔들리지 않을
최후의 안보 보루

이 곳
지하벙커 No.1 !!

위민체육관

새벽 지하 체육관에서
살 몇점을 없애는 대가로
탐관오리 모기들에게
속절없이 혈세를 상납했다

거칠게 뛰며 저항해보았지만
힘한번 제대로 쓰지 못하고
여기저기 마구 헤집혔다

이번 여름에는
연무대포와 전자방패
최신무기 총동원해
내 너를 기필코 막으리라

지하 세계 적폐 일소하고
민초들의 권익을 바로 세우리라
사람 사는 세상을 열어보리라

시를 쓰는 이유

굳게 닫힌 네 맘에 노크를 한다
기쁘거나 슬프거나 너는 말이 없지

나는 알아! 그 맘이 어떤 건지
그러니 어서 내게 말을 해
다 들어 줄테니 ……

내 속에 친구가 하나 있다
외롭고 쓸쓸할 때 그가 묻는다

너무나 맑고 천진난만한 그 아이
나는 어쩔 수 없이 답을 한다

이제껏 그랬던 것처럼 .....

그대들에게

이 책에 등장하는
수많은 그대들이여

풋풋하고 아름답던 시절
저와 함께 있어 줘서 정말 감사합니다

그대들이 그 시절 주인공입니다
그대들로 저는 멋진 추억을 남겼습니다
그때의 감동이 지금도 전해집니다

그대들의 발자취를 대신 전하며
어디서건 응원하겠습니다
늘 행복하시기 바랍니다

극단「배우극장」
제35회공연
독재자 학교
●에리히 케스트너 作
1990
3月27日→4月9日 • 문예회관소극장
2·000
▶공연중 화환증정이나 사진촬영 · 객석출
금합니다.
▶7세 이하의 어린이는 입장할수 없습니
▶지정된 시간외 입장은 거절당할수 있습
▶일단 구입한 입장권은 환불이 안됩니다

'92농구대잔치
대잔치
1월
20~24일
№ 029453
주최 : 대한농구협회 · KBC 장소 : 학생체육관

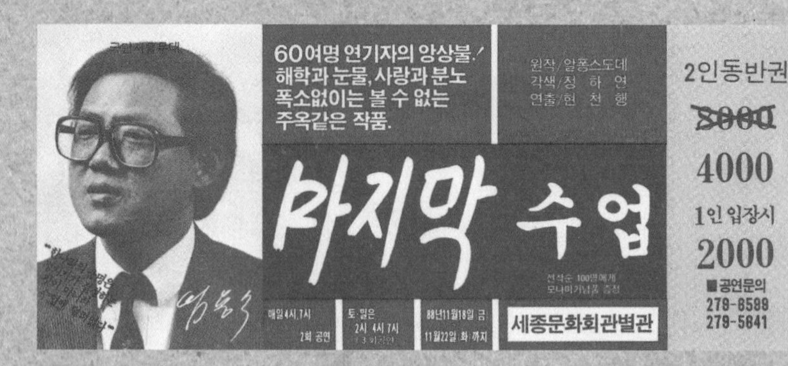
60여명 연기자의 앙상블!
해학과 눈물, 사랑과 분노
폭소없이는 볼 수 없는
주옥같은 작품.
원작/알퐁스도데
각색/정 하 연
연출/현 천 행
2인동반권
8000
4000
1인 입장시
2000
■공연문의
278-8588
279-5641
마지막 수업
매일 4시, 7시
2회 공연
토 · 일은
2시 4시 7시
88년11월18일(금)
11월22일(화)까지
세종문화회관별관